| 시리즈 2 |

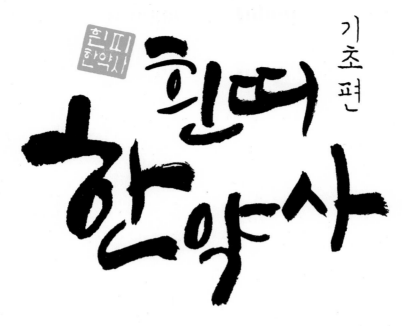

기초편 흰띠 한약사

나와 가족의 소중한 건강,
스스로 지켜나가고 싶은 당신의 인연서

| 이 혁 지음 |

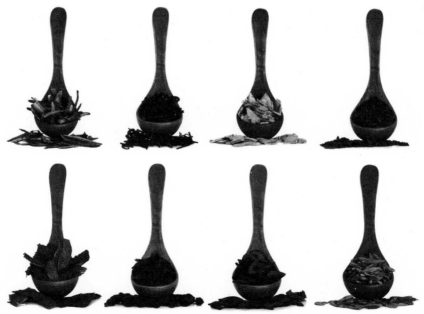

생각나눔

1 한 39세 남성은 허리가 아픈 지 오래되었습니다. 최근 음주와 과음 (過淫)으로 요통(腰痛)이 더욱 심해졌습니다. 결국, 이 남성은 디스크가 돌출 되어 허리 수술을 시행하였으나, 수술 후에도 요통은 지속되었습니다.

그런데 얼마 전부터는 소화불량과 만성 설사가 시작되었습니다. 식사가 미 흡하니 몸이 수척해지고, 얼굴빛이 검게 변하면서 팔다리에 힘이 빠져버렸습 니다. 멋진 남성이 이제는 매력 없는 남자로 변해버렸네요.

이 사람은 과연 이러한 상황을 피할 수 없었을까요?
이 남성에게 발생한 요통의 근본 원인은 추간판탈출증?
디스크가 돌출된 건 어떤 원인에 의한 결과일 뿐입니다.
우리 몸의 허리와 디스크를 튼튼하게 받쳐주는 주인공은 과연 누구일까요?

☯ 허리를 튼튼하게 받쳐주는 주인공은, 신장(腎臟)이 되겠습니다.

이 분은 원래 신장이 약한 몸이었습니다. 허나 과도한 방사나 음주, 스트레스로 신장은 더욱 약해졌습니다.

신장이 약해지면 허리와 척추가 약해져 요통이 심해집니다.

신장이 약해지면, 허리 주위 골반과 근육의 변형을 유발할 수 있습니다.

허리가 아플 때, 음주와 과로를 줄이고, 신장 에너지를 몇 달만이라도 보강했다면 이렇게 힘든 상황까지 갈 일은 없었을 겁니다.

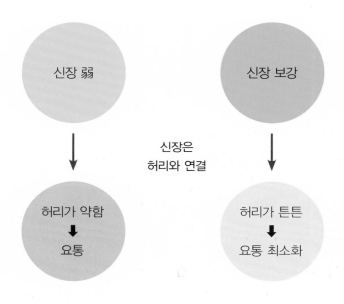

[그림 1] 신장은 허리(腰)를 주관함

디스크 수술 후에도 남성의 신장은 여전히 고갈된 상태입니다.

즉, 또다시 요통이 발생하는 것은 시간문제입니다. 수술 후 튼튼하던 허리 상태로 돌아갈 수 있다면 얼마나 좋겠습니까만, 신장이 약한 상태에서는 아무리 수술을 하더라도 허리가 튼튼해지기는 힘이 듭니다.

여러분이 한약을 공부한 사람이라면, 이 사람을 어떤 방법으로 회복시켜야 할까요? 진통제와 수술 밖에는 방법이 없을까요?

또 다른 예를 살펴봅시다.

5살 아이가 치킨을 먹고 잤는데, 밤에 열이 나고 기침을 많이 했답니다.

우리 아이들이 열이 날 때 대부분 항생제, 해열제를 만병통치약처럼 복용시키고, 심지어 어린이집에 갈 때도 선생님에게 위의 약들을 맡깁니다. 물론 좋아서 약을 맡기는 부모는 한 분도 없을 겁니다. 다른 방법을 모르기에, 그 범위 안에서 최선을 다하시는 것!

☯ 음식을 과하게 섭취하거나 소화가 안 되어도 '기침'을 할 수 있답니다.

음식 때문에 왜 기침을 할까요?

여러분이 만약 한약 공부를 통해 이런 상황의 근본 원인 및 그 해결방법을 알고 있다 가정하였을 때, 과연 음식으로 인한 우리 아이의 오한과 발열, 기침, 콧물에 해열제와 소염제를 반복 복용시키게 될까요?

한약을 제대로 공부하면, 우리 인생의 가장 큰 불안함을 최소화해줍니다.

☯ 공부도 자유이고, 판단도 자유이고, 선택도 자유입니다.
『흰띠 한약사』라는 이 책을 선택한 당신의 연(緣)을 믿어보세요.

2 집이 부실 공사로 인해 방수가 안 되고, 한쪽 축이 기울여졌습니다. 빗물이 새니까 새로 도배를 하고 일 년 뒤, 또다시 벽에는 곰팡이가 피어오르고, 그럼 또 도배를 해야겠죠?

이런 근본을 놓친 노력은 그저 모래성 쌓기에 불과합니다.

우리 몸의 근본 원인을 망각한 채, 스트레스 좀 받다가 어느 순간 고혈압 진단을 받은 후, 그때부터 평생 고혈압약 복용하며 혈압만 130 유지하면 만사형통일까요? 우리 몸의 근본적 불균형은 전혀 해결되지 않았으니, 병이란 것들은 점차 장소를 바꿔가며 나타나게 될 것입니다.

불면, 선잠으로 머리는 아프고, 눈알이 빠질 것 같아 진통제를 먹다가, 소변을 못 참고 요실금이나 전립선이 오면, 또 처방전 받아야 하고, 시간이 지나 안압과 충혈로 녹내장이 발생하면 녹내장 수술해야 하고, 시간이 흘러 신장이 아주 쇠약해져 디스크가 발생하게 되고…

근본보강을 놓치면, 우리 몸은 이런 식으로 진행되어 갑니다.

근본을 놓쳤다? 도대체 우리 몸의 근본보강이란 무엇일까요?

그것을 어떻게 보강해주면, 우리 몸이 최대한 아프지 않고, 행복할까요?

☯ 나무뿌리 하나에서 수많은 가지와 잎들이 퍼져 나가듯,

우리 몸의 맑은 혈액이 모자라는 단 하나의 불균형에서 탈모와 편두통, 어지러움이 발생할 수도 있고 시력이 저하되고 눈이 건조해질 수도 있고 건선이란 피부가 가려운 병이 발생할 수도 있고 월경이 불순해지고 월경통이 심할 수도 있으며, 갑상샘 임파선에 종양이 생겨서 수술을 받을 수도 있습니다.

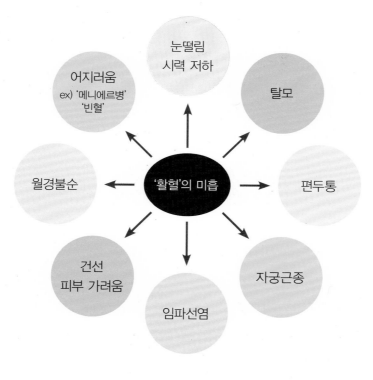

[그림 2]

그럼 두통과 어지러움 때문에 병원에 가 MRI도 찍고 시력 저하, 안구건조증으로 안과에 가고 건선으로 피부과에서는 스테로이드, 월경불순으로 인해 산부인과에서는 호르몬제를 처방받아 복용하고, 그리고 임파선제거 수술….

이러한 인생은 누구나 피하고 싶은 인생입니다.
허나 불행히도, 우리 인간의 대부분은 나이가 들어가며, 이러한 고통의 악순환에 빠지게 됩니다. 암, 중풍 등의 총 발생확률이 70%에 육박합니다.
위 경우처럼 우리 몸에 맑은 혈액은 왜 부족해졌을까요?
우리에게 갑상샘항진증, 저하증이란 병은 왜 나타나는 것이며 비염, 알레르기로 고생하는 악순환을 끊어버릴 방법은 없을까요?

고혈압일 때, 혈압약도 필요하겠지만 더 중요한 것은 우리 몸에 고혈압이 발생한 근본적 불균형을 해소해주는 의료체계. 예를 들자면, 고혈압약에 '수화지교' 같은 몸의 원리가 담겨지길 기대합니다.

단 한 번에, 책 한 권에 한약의 모든 것을 이해하고 극복할 수는 없습니다.
어느 정도의 노력으로, 한 걸음 한 걸음 올라가는 단계가 필요합니다.
이 책은 그 노력의 두 번째 단계로, 바로 '흰띠 한약사 시리즈' 기초 편입니다.

한약으로 인생의 가장 큰 불안함이 최소화됩니다.
연금복권 당첨된 것 이상의 든든함을 가지게 됩니다.
그래서 다시 태어나도 한약을 공부할 수밖에 없는 것.
뒷날, 여러분도 이 마음을 꼭 느껴보시기 바랍니다.

목 차

2장 울화병, 비염, 갑상샘항진·저하

나와 가족의 소중한 건강, 스스로 지켜나가고 싶은 당신의 인연서

3장 한방의 대중화

기초 편을 마치며

1장

생리·병리 초급과정

오장(五臟)

I_ 간(肝)

노축암(怒蹴巖)

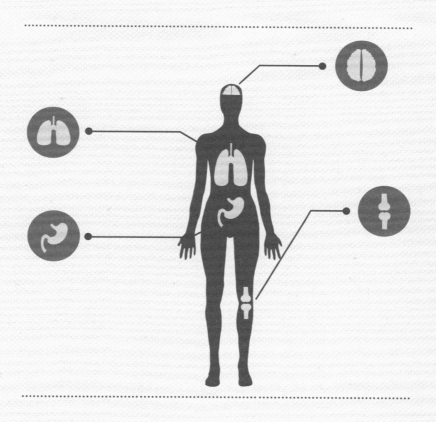

마음의 불균형 ⇔ 몸의 불균형

불균형은 병(病)의 원인

공부의 계획

『흰띠 한약사』
기초 편의
목표는?

이 책을 선택하신 대부분은 입문 편을 읽고 오신 분들일 겁니다. 안녕하셨죠. 이렇게 글로만 인사를 드립니다. 그래도 우리는 서로 한약으로 이심전심(以心傳心)되죠? 이렇게 글로만 뵈어도 서로의 마음이 충분히 통하리라 생각됩니다.

얼마 전 신문에 영화평론 글이 눈에 띄었습니다.
"관객을 믿지 못하는 영화는 성공하지 못한다."
이 구절이 무슨 뜻일까 궁금해져, 관심도 없던 영화평론을 읽었습니다.

그 말의 뜻인즉, 관객의 수준을 믿지 못해서, 혹은
영화가 지닌 본래의 의미 전달이 관객에게 제대로 되지 않을까 봐 너무 걱정하는 영화는 절대 성공할 수 없다는 것입니다. 멋진 말이죠?

『흰띠 한약사』입문 편을 다시 보며,

독자의 수준을 너무 믿지 못한 책은 아닌지 걱정도 되었습니다.

반대로 비전공자에게 너무 어려운 내용이었나, 염려도 되었습니다.

그래서 이 기초 편의 목표는,

입문 편을 공부 후, 몸 공부를 시작하기 위하여 기초를 탄탄하게 세우는 것으로 한의학 공부에 가장 중요한, 우리 몸의 핵심을 쉽게 이해하는 것입니다. 이는 한의학 공부의 가장 근본이 되는 내용이 되겠습니다.

☯ 몸의 불균형과 그로 인해 병이 발생한다는 것을 이해하는 것!

우리 몸의 원리를 이해하고, 그에 따라 처방을 적용시켜보는 일련의 과정을 살펴보기 위해 한 예를 들어봅시다.

:: 비염을 예로 들면

비염(鼻炎)이라는 병증을 예로 들어 봅시다.
비염이라는 것은 말 그대로 코에 염증이라는 의미로 이는,
병의 원인이 아닌 결과적인 현상에 불과합니다.
콧물이 줄줄 흘러도 코에 염증은 있을 수도 있고, 없을 수도 있습니다.

코에 염증발생이라는 결과적 상황보다 더욱 중요한 것은 무엇입니까?
그건 바로 콧물이 흐르거나 코가 막히는 원인을 이해하는 것이죠?
그래서 비염이라는 이름을 병명(病名)으로 논하기에는 약간 애매합니다.
허나 비염이라 말해야 다들 쉽게 이해하기에 비염이라 부르지만, 사실
그 병명이 중요하지는 않습니다.

☯ 중요한 것은 바로 콧물, 알레르기라는 결과가 왜 발생하는지,
그리고 그에 따른 근본 해결책을 이해하는 것이 중요하겠죠?

그렇게 되기 위해서 우리가 알고 있어야 하는 것은 우선,

오장(五臟)이라는 단어를 알아야 하고,

그 중에서 폐장(肺)이나 신장(腎)이라는 단어도 알아야 하고,

차가운 기운, 한(寒)이라는 사기(邪氣)의 개념도 알아야 하고,

음양(陰陽)이라는 개념도 어느 정도 이해하고 있어야 하죠?

여기까지가 바로『흰띠 한약사』입문 편에서 공부한 내용입니다.

두 번째,

이러한 차가운 기운이 들어오면 폐(肺)는 꽁꽁 얼게 되겠죠?

폐는 예민합니다. 차가운 기운에 쉽게 얼어버립니다. 이렇게 폐가 꽁꽁 얼면 폐에서 수분을 처리해야 하는 정상적인 생리 기능이 제대로 작동하지 못하게 되겠죠? 처리되지 못한 수분이 정체되고, 넘치게 될 것입니다.

이런 상황이면 아마 폐와 연결된 곳으로 물이 흘러넘칠 겁니다.

폐와 연결된 대표적인 구멍이 어딘가요? 입문 편 오행배속에서 배웠습니다.

바로 콧구멍으로 수분이 흘러나올 겁니다. 결과적으로 시간이 지나며 코에 염증이 발생하고, 알레르기라는 병명이 나올 수도 있을 겁니다.

이러한 우리 몸의 생리와 병리의 가장 기본을 공부하는 것이 바로,

『흰띠 한약사』'기초 편'이 되겠습니다.

입문 편 공부		기초, 생리		처방
폐(肺)의	☞	기화 작용	☞	치료 수단
개념		명문화 등		공부

세 번째,

이렇게 콧물이 나는 몸의 원인을 알았으면, 그에 적합한 처방을 사용해 그 불균형의 원인을 바로잡아야겠죠? 그래서 우리들의 무기인 한약처방을 공부해야 합니다. 처방을 공부하려면 그 구성약초도 공부하여야 합니다. 이렇게 약초를 공부하는 본초 편과 처방을 공부하는 방제 편은 한약 공부를 위한 필수 과정이 되는 것입니다.

한약공부의 대략적인 과정,

이 큰 틀을 머리에 넣으신 후, 기초 편 공부를 시작해봅시다.

한 번에 많이 읽는 것은 중요하지 않고, 추천하지도 않습니다.

하루에 한 편 제대로 읽어나가는 것이 중요합니다.

'비염'을 예로든 공부의 과정

〈입문〉
폐(肺), 한사(寒邪) 등의 단어 이해

〈기초〉
명문화, 선폐, 기화작용 등의 개념 이해

〈생리·병리〉
비염이 발생하는 전반적 몸의 상황 공부, 이해

〈본초, 방제〉
몸의 불균형에 적합한 무기의 공부
ex) 소청룡탕, 갈근탕

[그림 3]

:: 근본을 이해하는 공부

불균형의 결과가
병(病)? 몸속
불균형이 병.

한의학 공부는 어려우면 한도 끝도 없이 어렵고,

쉽다면 다른 어떤 학문보다도 쉽습니다. 이 차이는 무엇일까요?

동의보감, 방약합편, 의학 입문, 사상의학인 동의수세보원?

이런 책은 한의학의 최고의 의서들 중 하나입니다.

현재 대학에서 전공서적으로 공부하는 검증된 책들도 많습니다.

허나 그 책들은 초보자를 위해 근본원리부터, 우리 몸에 병이 발생한 구체

적 원인과 처방이 적용되는 원리를 쉽고 친절하게 설명해주지는 않습니다.

저 책들은 공부하는 사람들이 알아서 찾아 먹어야 하는 실전(實戰).

태권도 품새를 모두 익힌다고 싸움 잘하는 것은 아닙니다.

싸움의 원리는 누구도 친절히 설명을 해주지 않습니다.

그래서 입문 편, 기초 편도 공부해내지 못한다면 위와 같은 그 어떤 훌륭한

책이 있더라도, 한약의 원리를 쉽게 자기 소유화할 수가 없습니다.

만약, 당신이 갑상샘항진증이 발병하였습니다.

지금 당장 동의보감, 방약합편을 본다 해도, 그 속에 수많은 처방을 선택해서 복용할 수 있습니까? 그래서 운 좋게 동의보감 '영류(癭瘤) 편'을 찾아, 그 한약처방을 본다 하더라도 몸과 처방의 원리도 모르는 상황에서는 그 처방들이 무슨 소용일까요. 마치 어린아이에게 칼을 쥐여준 상황이죠?

이와는 반대로 시중에 여러 약초 등을 소개하거나, 'ㅇㅇㅇ건강법' 같은 책도 많습니다. 이런 책들은 쉽고 편하게 읽을 수 있기에, 건강을 위한 여러 가지 지식 습득에는 많은 도움이 될 수 있겠지만, 그 책들이 추구하는 것은 지금 우리가 추구하는 것과는 분명 다른 것입니다.

그 책들은 수천 번 읽어도 수화지교, 소설작용 같은 몸의 중요 원리와는 거리가 먼 책인 듯합니다. 몸의 핵심적인 원리도 모르는데 어떻게 비염이 발생한 원인을 알아내고 그에 따른 처방을 사용할 수 있을까요?

☯ 중요한 것은 몸의 불균형에 맞게 처방을 적용시킬 수 있는 것이 핵심.

한 예를 들면, 다음과 같은 순서가 되는 것입니다.

> · 내 애인은 우리 몸의 '보일러'인 ㅇㅇㅇ라는 것이 약하네? - **증(證)**
> · 그래서 내 예쁜 애인이 아침마다 알레르기 비염이 나타나는구나. - **증(症)**
> · 그럼 내 사랑하는 여자의 ㅇㅇㅇ를 보강해줘야겠구나. - **처방(處方)**

멋진 남친이죠?

증(證)이란 것과 증(症)이란 것을 왔다갔다하며 이해할 수 있어야 합니다.

그래야 뒷날 공부하는 처방을 자신의 무기로 만들 수 있습니다.

한약이란 학문은 절대적이지 않고, 상대적입니다.

약처방이 양약처럼 절대적으로 통일될 수는 없습니다.

허나, 한약도 몸의 상황과 근본 원인을 고려한다면, 최소한의 처방조합으로

최대한의 효과를 내도록 할 수는 있답니다.

그리고 만약 우리의 공부수준이 더 높아져, 자신의 몸을 좀 더 깊게 이해한

다면 어떨까요? 처방은 더욱 정확해지고, '갑상샘 질환' 같은 병증의 치료율은

더 높아질 것입니다. 허나 여기서 중요한 것은 병명이 아닙니다.

☯ 중요한 것은 바로 우리 몸의 불균형과 균형!

생길 병을 없애 버릴 수는 없지만, 최소화할 수는 있습니다.

병은 우리 인생의 그림자이지만, 그래도 건강하게 살아가는 비결은

우리가 공부를 어떻게 하느냐에 달려있을 겁니다.

이는 여러 약초들을 나열한 수많은 책들과는 그 목적이 다릅니다.

원인을 이해하고 공부하실 분이 아니라면, 이 책을 선택하여도 아마 시간만

낭비, 무슨 소리를 하는지 의아할 뿐입니다.

이번 기초 편에서도 당신의 근기에 존경을 표하며, 건승을 기원합니다!

14년 가을 노란 비 내린 석바위 공원에서 이 혁 올림

01. 활혈(活血)

우리 몸의 중요한
기능 '활혈'.

기초 편 공부의 첫 시간입니다.

한약 공부에서 가장 중요한 부분으로,

지금부터 우리 몸을 공부하기 위한 기초공사를 시작하겠습니다.

이해하고자 하는 약간의 노력만 있다면 무난하게 습득할 수 있도록 목표하였습니다. 물론 아무리 쉽고 무난해도, 하려는 사람의 노력이 없다면, 그런 사람에게는 재미있는 게임설명조차 그저 어렵고 지루할 뿐입니다.

허나 그건 여기 계신 분들과는 거리가 먼 이야기,

이제 우리 같이 편하게 공부해나가도록 하겠습니다.

이번 장에서 배울 내용은 활혈(活血)입니다.

활혈이란 과연 무엇일까요? 입문 편에서 한번 들어본 단어죠?

활혈이란 우리 몸속 오장(五臟) 중에서 간(肝)의 대표적인 기능이랍니다.

오장 중, 간(肝)이 실행하는 몸의 대표적인 기능은 크게 두 가지!

바로 '소설'과 '활혈'. 그 두 가지가 간의 핵심 기능이 됩니다.

[그림 4] 간의 양대 기능

이제부터 이 두 개념을 살펴보도록 하겠습니다.

:: 간장혈(肝臟血)

입문편에서, 간(肝)이 수행하는 기능을 군부대와 비교했었죠?
군인들은 일과시간에는 각자의 위치로 향해서 열심히 맡은 업무를 합니다.
그리고 일과를 마치고 부대로 복귀해서는 식사를 하고, 취침하면서,
낮 동안 방전된 에너지를 재충전하죠?

☯ 군인이 업무시간에 밖으로 나가서 일하는 것을 간의 소설(疏泄),
☯ 밤에는 부대로 돌아와 소비된 에너지를 재충전하는 것을 활혈(活血).
이렇게 비유되겠습니다.

여기 생활관과 부대가 병력이 재충전하는 공간이 되듯,
간(肝)은 열심히 일한 혈액이 에너지를 충전하는 공간이 됩니다.
우리 몸의 혈액은 낮 동안 전신에서 열심히 일하며,
세포, 근육 등 전신에 귀중한 에너지들을 공급해줍니다.
밤이 되면 혈액의 일정량이 규칙적으로 간(肝)으로 집합~!
그리고 낮 동안 고갈된 에너지를 충전하게 됩니다.

☯ 이를 바로 '활혈'이라고 합니다.

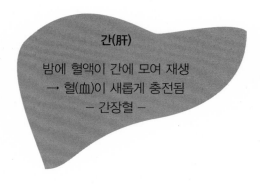

[그림 5] 활혈이란?

밤에 잠을 제대로 못 자면 간(肝)에서 활혈이 제대로 이루어지지 않겠죠?

그럼 간(肝)과 연결된 눈알에서는 활혈 된 혈액 공급이 부족해지게 되며,

눈이 시리고, 침침해지고, 혹은 충혈되고, 건조해질 수도 있겠죠?

시력저하? 안구건조증? 녹내장? 눈 떨림? 피로?

이것들은 활혈이 부족할 때 나타날 수 있는 결과들이 되겠습니다.

그런데 위 그림에 '간장혈(肝臟血)'이란 단어는 무엇일까요?

:: 소설은 양(陽), 활혈은 음(陰)

소설과 활혈은
피드백의 관계.

간장혈, 입문 편에서 한번 언급했었죠?

간(肝)에서 혈액이 활혈을 하려면, 우선 간장으로 집합~! 해야겠죠?

◉ 간장혈이란, 활혈을 위해 혈액이 간에 모이는 것을 의미합니다.

간장혈, 이는 발산하고 뻗어 나가는 느낌인가요? 그렇지 않으면, 수렴하고
모이는 느낌입니까?

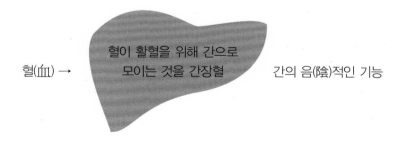

혈(血) →　　　혈이 활혈을 위해 간으로
　　　　　　　모이는 것을 간장혈　　　　간의 음(陰)적인 기능

[그림 6] 간장혈이란?

기초 편 다음이 생리·병리 편이라고 했는데, '생리·병리'가 무엇을 의미하는 것인지, 우리 몸의 '활혈'이란 개념에 한번 비유해보자면,

혈액이 간(肝)에 모여 밤이 되면 '활혈' 하는 것이 정상적인 '생리'이며,

최근 주식이 확 떨어져 스트레스로 인해 숙면을 못 하면서 '활혈'이 미흡하게 되고, 그 결과 간(肝)에 불균형이 발생하였습니다. 그로 인하여 아침에 눈이 충혈되고, 지끈지끈 편두통이 생기고, '아~, 뒷목 당기네~'하며 혈압이 상승하는 상황이 바로 '병리'가 되겠습니다.

'활혈'이란
간의 기능이 '생리'

간의 생리인 '활혈'의
미흡으로 나타난 몸의
불균형과 여러 가지 병증들
— 이 전체적 불균형이 '병리' —

[그림 7] 생리·병리란?

그런데 활혈이란 기능을 공부하다 보니 궁금한 것이 있습니다.

과연 간에서 혈액을 '활혈' 시킬 때, 활혈을 위한 그 중요한 에너지는 과연 공급해주는 것일까요?

:: 신장 에너지

활혈이 가장 잘 이루어지는 시간은?

자동차의 에너지가 고갈되면 주유소에 가서 충전을 합니다.

혈액도 낮 동안 에너지가 고갈되면 밤에 간(肝)으로 가서 충전합니다.

그리고 새롭게, 힘 있게 태어납니다. 즉, 이를 '활혈' 된다고 했습니다.

그런데 주유소는 아무 때나 가도 충전할 수 있지만, 간(肝)은 일정한 규율이 있습니다. 즉, 어느 정도 시간을 정해놓고 에너지를 충전시켜 준답니다.

그 시간은 언제일까요?

활혈은 주로 한밤중인 밤 11시부터 새벽 4시 사이에 가장 활성화됩니다.

옛날 시간으로 따지자면, 자시(子時)와 축시(丑時)가 핵심시간이 됩니다.

해시(亥時)나 인시(寅時)도 활혈의 중요시간이긴 합니다만, 활혈의 핵심은 밤 11시부터 4시 사이! 이때에는 꼭 숙면을 취하는 것이 우리 건강을 위한 중요한 요소가 되겠습니다.

그런데 그 시간에 여러분 아들이 컴퓨터 게임을 한다고 가정합시다.

매일 3시, 4시에 잠을 잔다면, 어떻게 되겠습니까?

당연히 활혈이란 기능이 실조되고 몸의 재생은 미흡할 것입니다.
이렇게 활혈 기능이 지속 실조된다면, 우리 몸이 건강하겠습니까?
밤 동안 재생이 되지 않았기에, 몸과 머리는 천근만근, 피로는 쌓이고,
결국 하루를 새롭고 힘차게 시작하기에는 어려운 몸이 됩니다.

그래서 밤 11시부터 새벽 4시쯤은 그래서 굉장히 중요한 시간입니다.
대략 자시(子時)부터 축시(丑時) 사이입니다.

> **에너지 충전 시간(활혈 시간)**
> 11~4시가 핵심. 건강하려면 10~5시 수면이 가장 이상적

그런데 이렇게 활혈을 위해서는 충전할 수 있는 에너지가 필요합니다.
혈액이 간에서 에너지를 충전하려면, 어떠한 공급원이 있어야 되겠죠?

그 고마운 분은 누구일까요? 간(肝)에서 활혈하니까 간이 주인공?
간(肝)도 어느 정도 역할을 하지만, 그것은 주유소의 개념이고,
주유소나 식당에 석유와 쌀을 공급해주는 자본력의 개념은 아닙니다.

군부대는 국민들의 세금으로 식량을 공급하여 군인들이 재충전되는데,
간(肝)은 과연 어디에서 에너지를 공급받아 혈액을 재충전(활혈)할까요?

☯ 간(肝)은 바로 신장(腎臟)에서 에너지를 공급하여 혈액을 충전시킵니다.

혈액이 새롭게 태어나는 활혈 시, 그 에너지는 바로 신장에서 공급받는다는 것! 아주 중요한 원리입니다.

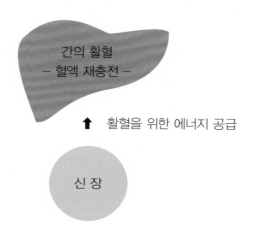

[그림 8] 신장에서 활혈 에너지 공급

혈액이 새롭게 태어나도록 에너지를 충전시켜주는 공간은 간(肝),
그곳에 에너지를 공급해주는 금고의 역할은 바로 오장 중 신(腎).

그럼 이렇게 혈액이 활혈로 인해 재생되었으면 그다음은 뭐할까요?
열심히 일하러 각 조직으로 출동해야 하겠죠?
이러한 혈액의 출동, 뻗어 나감을 뭐라고 공부했습니까?

02.
소설(疏泄)

:: 소설이란?

저녁에 집에 들어와 밥 먹고 잠자면, 아침에는 일하러 나가야 합니다.
잘 먹고 잘 자는 것은 열심히 일하고 돈 벌기 위한 것이고,
이렇게 돈 버는 것은 잘 먹고, 잘 자기 위해서인 것처럼,
활혈과 소설의 관계는 상호보완적 관계가 됩니다.

간(肝)에서 '활혈' 된 혈액들은 몸의 곳곳으로 가서 열심히 일합니다.
물건을 들기 위해 팔 근육으로도 가고, 사물을 보기 위해 눈으로도 가고,
간(肝)은 재생된 혈액을 이렇게 전신으로 쫙쫙~ 뻗어 나가도록 해줍니다.

☯ 이를 두고 바로 간의 소설(疏泄) 기능이라 합니다.
소설은 소통과 뻗어 나감으로 이해하시면 됩니다.

이러한 소설작용은 간장혈로 인한 활혈 작용과 서로 반대되는 기능이죠?

☯ 활혈과 소설 기능은 간의 양대 기능이요, 음양(陰陽)의 관계가 됩니다.

하나는 음(陰)이고, 하나는 양(陽).
이 둘은 상호보완적이라, 두 가지 기능 중 하나만 실조되어도 우리 몸에 불균형이 발생하고, 여러 병이 나타나게 됩니다.

간의 陰적인 기능   간의 陽적인 기능

[그림 9] 간의 양대 기능

간(肝)에 대한 공부는 바로 '활혈'과 '소설', 두 개념이 핵심이 됩니다.
'HDL', 'LDL' 등의 수치변화에만 집중해서는 건강을 유지하기가 힘듭니다.
고지혈증이나 콜레스테롤 수치 등은 바로 간(肝)과 밀접한 연관이 있습니다.
그래서 간의 핵심기능이 실조된다면, 그 수치들의 변화도 당연한 것입니다.
즉 건강을 위한 KEY는 바로 평상시에 이러한 몸의 원리를 잘 유지하는 것.

이러한 활혈이나 소설에 장애가 발생한다면 'HDL', 'LDL' '고지혈증'뿐만
아니라, 다른 여러 가지 증상들도 나타날 수 있을 겁니다.
과연 어떠한 증상들이 나타날 수 있을지, 한 예를 살펴보겠습니다.

최근 40대 김 모 여성은 직장 때문에 과로하고 수면이 부족했습니다. 그런데 어느 날 눈꺼풀이 파르르~ 떨리는군요. 왜 그럴까요? 마그네슘 부족?

:: 몸의 증상이란?

증상이란 몸의
소중한 SOS.

김 모 여성은 과로로 인해 밤에 수면이 부족했습니다.

그럼 간에서 '활혈' 작용이 제대로 이루어지지 않았을 겁니다.

혈액이 새롭게 재생되지 못하였기에, 정체되고 못 쓰는 혈액이 됩니다.

군인이 밖에서 죽어라 일하고 부대에 복귀했는데, 밥도 없고 당직근무라서 잠도 안 재웠습니다. 그런데 다음날 또 나가서 업무수행을 해야 하겠죠?

어허⋯, 몸이 당연히 힘들 겁니다. 말이 젊은 군인이지, 몸은 천근만근 시체 같습니다. 그래서 일하러 못 가고 쓰러져 자고 있네요.

그런데 그 군인이 업무를 수행하던 곳에서는 왜 일하러 빨리 안 오느냐고 본부로 전화를 계속해댑니다. 이렇게 빨리 오라고 신호를 보내는 상황은?

마치 지금 배우는 눈 떨림과도 비슷한 상황입니다.

간(肝)과 직접 연결된 눈은 간의 창문입니다.

그래서 눈은 간(肝)의 건강상태에 가장 민감하고 직접적으로 반응하는 기관입니다. '활혈' 된 혈액이 눈으로 공급되는 것이 불량하다면, 어떨까요?

눈이 화가 나겠죠? 화가 나서 충혈된 눈은 제발 혈액 좀 보내달라며,
간에 sos를 보내는 것이 바로 '눈 떨림'이라는 결과로 나타나는 것.
이는 눈 떨림뿐만 아니라, 심하면 허벅지나 팔 등이 떨리는 것,
혹은 잠을 자다가 팔다리에 쥐나는 증상으로도 나타날 수도 있습니다.
뭐 근육이 떨리거나 쥐만 나타날까요?

과로, 수면부족, 스트레스 등으로
'소설', '활혈' 불균형 발생.

↓

눈, 근육, 두피, 피부 등의 조직에 맑은 혈액이
공급되지 못하게 되며, 결과적으로

↓

눈 떨림, 경련, 근육마비, 탈모, 가려움 등의
증상이 나타남.

[그림 10]

간(肝)의 소설 기능이란 생리 기능이 제대로 이루어지지 않으니까 결과적으로 눈 떨림, 시력저하, 근육마비, '건선' 등의 여러 병증이 나타납니다.

피부가 건조하고 가려운 '건선'은 아이들뿐만 아니라 성인에게도 많이 발생하는 병증이죠? 이러한 건선도 바로 간(肝)의 불균형이 직접적인 원인이랍니다. 활혈이 부족하니 간에서 재생된 혈액이 피부 끝까지 전달되지 못하겠죠? 그럼 피부는 점점 건조해지고, 피부 쪽 혈액순환은 미흡하므로, 간지러움을 유발하여 긁게 됩니다. 그렇게 긁음으로 인해 모세혈관이 확장되면서 강제로 혈액순환을 시키는 악순환이 벌어지는 것입니다.

건선을 설명하는 요점은, 지금 우리처럼 활혈, 소설 등을 제대로 공부해놓는다면, 뒷날 건선의 치료법은 자동으로 이해되게 되어있음을 꼭 기억하시라는 의미입니다.

위 분의 '소설작용'의 실조는 결국 '활혈'의 미흡에서 기인하였습니다.

마그네슘 부족은 결과적인 요소로, 마그네슘을 보충한다면 위의 '눈 떨림' 증상이 많이 보완됩니다. 허나 간(肝)의 '활혈'과 '소설'이라는 근본적 기능을 되살려주지 않으면, 그 증상은 재발될 가능성이 크겠죠?

반대로 근본인 신장이 튼튼하고, 활혈과 소설이 잘 이루어지면, 마그네슘이라는 영양분이 결핍될 이유가 없습니다. 그래서 건강유지를 위해서는 근본적인 보강과 더불어 마그네슘과 같은 부가적인 노력들이 곁들여져야 합니다.

우리는 몸의 불균형으로 나타나는 여러 병증들이 보기 싫고, 아프니까,

무조건 없애려고만 해서는 안 됩니다. 없애고 차단해버리려는 노력만 지속하니까 소염제, 항생제나 스테로이드가 그렇게 많이 처방되고, 그래서 죄 없는 항생제나 스테로이드가 부정적인 이미지로 변해버린 건 아닐까요?

☯ 병이란 몸이 나에게 주는 소중한 신호인 것을 명심해야 합니다.

:: 암의 핵심 원인

> 활혈 부족은 세포
> 변형의 기본원인.

간에서 활혈이 부족해지면 우리 몸에는 어떠한 증상이 나타날까요?

활혈이 부족 시, 실제 어떤 현상이 나타날지, 3달 동안 방에 모기를 잔뜩 풀어놓고 밤마다 모기에 뜯기며 선잠을 자볼까요? 허나 우리는 굳이 그런 무식한 연구를 하지 않아도 그 결과를 쉽게 유추할 수 있습니다.

수면 시, 간에서 혈액이 재생되지 않으면 쉽게 말해 죽은 피가 됩니다.

죽은 혈액은 몸에서 자기 역할을 제대로 수행할 수 없는 못 쓰는 놈이죠.

그럼 몸의 각 조직, 세포에 영양과 산소를 전달하는 신진대사 기능이 제대로 이루어지지 않게 됩니다. 그렇게 신진대사가 실조되면 우리 몸의 조직과 세포가 점차 변형을 일으키게 됩니다. 마치 혐기성 세포처럼 말이죠.

활혈이 부족하면 몸에 실질적인 혈(血)이 부족해지죠?

이를 '혈허(血虛)증'이라 표현해봅시다.

우리 밤을 새우고 놀면, 그 다음 날 몸에 허열이 뜨는 느낌이 나죠?

☯ 몸이 허(虛)해지면 허열(虛熱)이라는 것이 발생하게 됩니다.

활혈 미흡 → 혈허(血虛) 발생

↓

혈허 → 허열(虛熱) 발생

[그림 11] 혈허(血虛) → 허열(虛熱)

손가락에 화상을 입으면 곧 염증이라는 물집이 생기듯,

이를 화(火)를 두 개 써서 염(炎)이라고 부릅니다. 염증(炎症)이라 합니다.

이러한 염증은 대부분 이러한 열(熱) 때문에 자주 나타난답니다.

이러한 상황에서는 신체 각 조직의 신진대사가 제대로 이루어지지 않게 되며 동시에, 비정상적인 열(熱)의 공격으로 세포들은 점차 변형을 일으키게 됩니다.

☯ 활혈 미흡 + 허열(虛熱)!

상황이 바로, 우리 몸에 염증이나 종양, 암 등을 유발하는 가장 기본적인 원인이 됩니다. 그림으로 살펴보겠습니다.

:: 활혈의 중요성

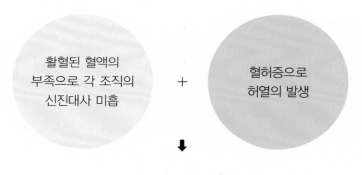

활혈된 혈액의
부족으로 각 조직의
신진대사 미흡

+

혈허증으로
허열의 발생

↓

염증, 종양 등의 발생이 多

[그림 12]

활혈이 부족한 결과로, 몸에는 각종 염증과 종양이 생길 수 있습니다.

임파선에 염증이 생기고, 자궁에는 어혈(瘀血)도 정체되고, 시간이 지나며,
자궁에는 혹이 생기거나 내막 등이 두꺼워질 수도 있습니다.

어떤 사람은 울화(鬱火)와 허열(虛熱)이 겹치면서 머리 쪽에 타격을 받아 두통이 매우 심해지거나 뇌에 종양이 발생하는 상황이 올 수 있습니다.

'활혈'이란 단 하나의 불균형으로 말입니다.

이럴 때 경우에 따라 소염제나 항생제가 필요할 수도 있습니다.

허나 소염제가 활혈 부족이란 몸의 불균형을 바로잡아주지는 못하죠?

그래서 염증이나 종양, 암 예방의 핵심 키는 바로 평상시 '활혈의 기능'을 양호하게 유지하는 것!

그럼 과연 활혈을 위한 가장 좋은 방법은 무엇일까요?

사실 가장 좋은 방법은 바로 스트레스 없이 숙면을 취하는 것.

저녁에는 적게 먹고 10시부터 4시 사이에는 숙면하는 것이 최상이겠죠?

이건 누구나 아는 간단한 내용입니다. 허나 당장 저부터도 꾸준히 실천하기 힘든 사항일 것입니다.

그리고 사람은 나이가 들수록 몸이 허(虛)해지며 허열(虛熱)이 발생하고 신장의 콩팥기능이 약해지면서 뇌압이 상승하기에 밤에도 정신이 잘 off 되지 않는답니다.

그래서 어르신들은 밤잠이 더욱 없어지고 선잠을 주무시니, 새벽 3시에도 티브이를 켜게 되는 상황이 자주 발생하는 것, 이렇게 나이가 들면서 숙면이 힘들어지는 건 인간이면 당연한 것입니다. 또한, 사람은 스트레스나 업무, 노화 등으로 잠과의 싸움을 지속할 수밖에 없습니다.

그래서 평소 활혈을 잘 해주기 위해서는 잠을 잘 자는 것이 가장 기본이나, 그렇게 쉽지 않은 것이 현실입니다. 그럼 활혈을 돕기 위해서는 수면과 더불어, 과연 무엇을 더해주면 좋을지 궁금해집니다.

이제 여러분은 활혈의 개념을 이해하였으므로, 뒷날 활혈을 원활하게 도와주는 처방만 공부하면 바로, 그 무기를 제대로 활용할 수 있을 겁니다.

이렇게 '활혈'이란 원리를 알고 난 뒤 사물탕이란 처방을 살펴보는 사람과 '빈혈, 월경불순 등 여성에게 좋은 한약은 사물탕'이라며 공부하는 사람, 이 둘의 방식은 뒷날 아주 큰 차이를 만드는 것.

그럼, 말이 나온 김에 활혈을 시켜주는 한약처방을 미리 살펴보겠습니다.

:: 활혈이란 생리 기능의 처방

육미지황환과
사물탕.

활혈을 도와주는 무기를 봅시다.

첫째,

주유소에 기름을 공급하듯, 활혈에 필요한 에너지를 간에 공급해주는 주인 공은 신장이라고 했습니다. 그럼 신장의 정(精)에 관련된 가장 대표적인 처방 은 무엇일까요?

☯ 그 대표적인 처방이 바로 '육미지황원'이 되겠습니다.

둘째,

활혈을 하려면 혈액을 간(肝)에 집어넣고, 다시 내보내고 해주는 주체가 있 어야 합니다. 이는 활혈을 통제해주는 강력한 시스템입니다.

이렇게 '활혈'이란 우리 몸의 중요 시스템을 원활하게 주도해주는 처방은,

☯ 그는 바로 '사물탕'이란 처방이 되겠습니다.

결론적으로 우리 몸에서 활혈이란 중요한 생리 기능에 대응하는 가장 기본적인 처방은 바로,

'육미지황환'
활혈 에너지 제공

\+

'사물탕'
활혈을 주도함

[그림 13] 활혈 시스템의 기본 처방

바로 이렇게 되는 것입니다.

지금까지 우리 몸의 '활혈'을 위한 처방, 육미 + 사물탕을 공부했습니다.

예로부터 지금까지 육미지황탕과 사물탕이 아주 많이 애용되는 되는 이유를 어느정도는 이해하시겠죠?

활혈이라는 개념을 제대로 모르면, 사육탕(육미 + 사물탕)이란 처방을 제대로 활용하기가 힘듭니다. 허나 활혈의 개념을 제대로 이해하였다면요.

그때는 사물탕과 육미 단 하나의 무기로 편두통, 임파선염, 고혈압, 산후 메니에르병, 변비, 편도선염, 요통, 족저근막염, 눈 떨림, 탈모, 만성피로 및 이명, 그 외 수많은 병을 고칠 수 있는 진정한 실력자가 될 것은 명약관화할 것입니다.

이 사람은 뿌리부터 제대로 이해하였기 때문입니다.
그리고 수많은 나뭇잎과 가지는 하나의 뿌리에서 나타나기 때문입니다.

사물탕은 쌍화탕처럼, 보통 사람들도 많이 들어본 유명한 처방입니다.

산후조리원에서 주는 산후보약이나 빈혈에 쓰는 처방, 혹은 월경불순에 좋고, 불임에도 좋은 처방 등으로 널리 알려져있지만, 이런 식의 공부로는 평생 공부해봤자 수박껍질만 맛보는 것이 됩니다.

그럼 신장을 보하는 육미지황환이란 처방을 인터넷에서 검색해볼까요?

'신수(腎水)가 부족하고 몸이 여위고 초췌하며, 허리가 아프고 땀을 잘 흘리며 식욕이 부진하고, 머리가 어지러우며 귀에서 이상한 소리가 들리며, 자면서 정액(精液)을 흘리는 것을 치료하며, 소갈(消渴), 임력(淋瀝), 치통(齒痛), 혀가 마르고 목이 아픈 것을 치료하는 처방임.

중풍(中風), 신경쇠약(神經衰弱), 당뇨병(糖尿病), 요통(腰痛) 황달(黃疸), 소변이 잘 나오지 않는 것, 두통 야뇨증(夜尿症), 탈항(脫肛) 등을 치료하는 처방임.

- '네이버 지식백과 한국전통 지식포탈'

이런 내용들, 근본을 알고 읽는다면 모든 것이 다 자기 것이 됩니다.

허나 '당뇨, 치통, 몸이 여윌 때는 육미'

'월경불순, 산후조리, 혈허(血虛), 보혈(補血)에 사물탕'

이렇게 공부해서는 평생 사물탕 하나도 제대로 사용 못 하는 선무당이 되는 것임을 우리 모두 명심해야 합니다.

우리는 이러한 근본 없는 공부가 아닙니다.

> ☯ 처방이나 약초 등을 병(病)에 적용시키는 공부는 한계가 있습니다.
> ☯ 처방이나 약초 등을 몸의 원리에 적용시키는 공부가 근본공부입니다.

:: 간(肝) 마무리

간(肝)은 마음의
불균형과 밀접한
연관이 있습니다.

간(肝)의 가장 중요한 기능을 알아봤습니다.

활혈, 소설! 그런데 이런 것들이 도대체 왜 중요할까요?

소설, 활혈이 안 되면, 도대체 뭐가 문제라서 지겹도록 언급할까요?

위에 활혈 부족 시 눈 떨림, 근육에 쥐나는 것을 예로 보았습니다.

☯ 우리 몸의 균형이 무너지는 것이 바로 병증이고, 신호입니다.

여러분은 간(肝)에서 가장 중요한 소설과 활혈을 이해하셨습니다.

그런데 만약, 당신의 사랑하는 사람이 최근 스트레스와 수면부족으로 눈이
충혈되고, 뒷목과 어깨가 뭉치고 안구가 건조하다면?

1번 충혈과 안구건조증 치료를 위해 안약과 인공눈물 등을 이용한다.

2번 수면을 늘리고, 스트레스를 최소화하며, 회복되길 기다린다.

3번 간(肝)의 활혈과 소설 실조로 인해 나타난 불균형을 해결해주며 동시에
2번을 병행한다.

여러분은 당연히 3번 방법을 사용하실 겁니다.

뒷날 활혈에 대한 처방, 소설에 대한 한약처방을 공부하여 우리 몸에 잘 적용시키려면 지금 공부하듯, 몸의 원리부터 제대로 이해하여야 하는 것을 꼭 기억하시기 바랍니다. 자 이제 간(肝)을 마무리해보겠습니다.

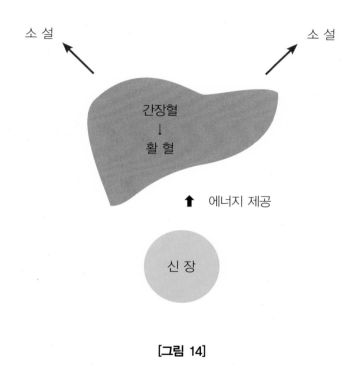

[그림 14]

간(肝)의 핵심은 활혈과 소설임을 기억하시고 넘어가면 됩니다.

소설이란 간의 특성은 어떠할 때 가장 기능을 상실하게 될까요?

활혈이란 간의 특성은 어떠할 때 가장 기능을 상실하게 될까요?

병의 원인은 어려운 곳에 있지 않습니다.

소설을 방해하는 대표적인 요인은 바로 스트레스, 감정 불균형이고,
활혈에 가장 장애를 주는 것은 바로 수면의 불량이 되겠습니다.
스트레스와 수면, 모두 우리의 욕구나 욕망과 관련이 있습니다.

☯ 모든 병은 마음에서 비롯됩니다.
마음과 생각에서 행동이 나오고 행동에서 업(業)과 죄(罪)가 만들어집니다.

병(病)이라는 것이 그냥 갑자기 오는 것이 아닙니다.
세상 모든 일은 인과관계가 있는 것처럼 우리 몸의 인과관계도 정확합니다.
그리고 그 중심에는 우리 마음이 있습니다.

갑자기 당뇨 수치가 올라가고, 고혈압은 원인도 없이 발생하고, 단순히
비염 때문에 우리 아이의 코에서 콧물이 줄줄 흘러내리고 있는 것일까요?
현대의 병이란 것은 어렵고 복잡하지 않습니다.
지금 자식 때문에 스트레스받는 우리 마음 하나에서,
늦게 야식 먹고 새벽 2시에 잠드는 사소한 습관 하나에서,
근본 에너지가 부족해도 아직은 아프지 않으니까, 그저 방치하는 무관심함
하나에서 모든 병이 나타나기 때문입니다.

다음 시간은 마음 심(心)이라는 친구를 알아보는 시간이 되겠습니다.

오늘의 병(病)은 어제의 마음에서 비롯되었고
현재의 마음은 내일의 병(病)을 만들어간다.
병(病)은 내 마음(心)에서 만들어내는 것이다.

Ⅱ_ 심(心)

일체유심조(一切唯心造)

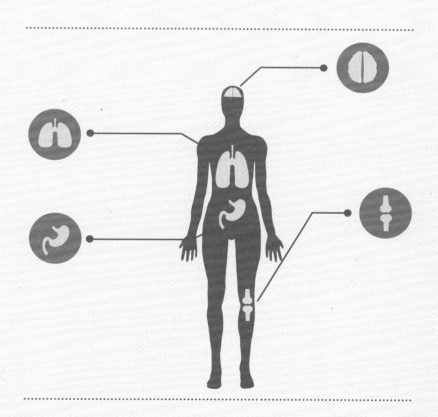

01.
삶의 근본 에너지

우리 인간은 꿈과 욕구를 충족하기 위해 살아갑니다.

뭔가를 하려고 하는 마음과 열정은 삶을 지탱하는 원동력이 됩니다.

이 열정은 우리 삶을 유지시켜주는 근본 에너지라 말할 수 있습니다.

지금 말하는 것은 병 치료와 관련 없는 추상적인 이야기가 아닙니다.

☯ 심장은 오행(五行) 중, 화(火)의 특성이 강한 장기입니다.

심장의 뜨거운 화(火)는 바로 우리 몸의 근본적인 생명력입니다.

그래서 심장에서 나오는 화(火)는 생명력을 유지시켜주는 근간이 됩니다.

> 심장의 화(火)는 우리의 근본적 생명력과 에너지를 형성

이 심장이 유지하는 우리 생명력은 크게 두 개념으로 이해할 수 있습니다.

첫 번째,

우리 몸이 건강하게 유지되는 것은 몸속 음양(陰陽) 균형이 핵심입니다.

바이러스나 세균, 호르몬변화도 중요하지만, 더 중요한 근본이 바로 음양의 균형으로, 이러한 균형 중 가장 중요한 시스템은 바로,

입문 편에서 공부한 수화지교!

태극을 떠올립니다. 우리 몸 위쪽의 심장(心臟)이 붉은 화(火)라면,

아래쪽 신장(腎臟)은 수(水)의 장기가 됩니다.

신장(腎臟)의 기운이 정상적이면, 그 신장의 기운이 위로 올라갑니다.

그리고 심장한테 가서 인사를 합니다. "안녕~, 내가 올라왔어. 심장아."

심장과 신장은 서로 무엇인가 도움이 되고 필요하니까 사귀는 것이겠죠?

우리 몸에서 서로 이끌어주고 함께해야 하는 핵심 조합은 바로 〈心〉과 〈腎〉!

이를 두고 우리는 수(水)와 화(火)의 교류(交流)라고 했고,

☯ 이를 '수화지교'라고 말했습니다.

신장이란 수(水)의 장기는 심장이라는 화(火)의 장기와 친구가 되었죠? 이 둘의 사이가 양호하다면, 신수(腎水)는 심장의 화(火)를 데리고 자기의 집인 신장으로 내려오게 됩니다. 그렇게 아래로 내려온 심장의 화(火)는 바로 가장 중요한 우리 몸의 근본 에너지가 되었습니다.

이를 두고 무엇이라 불렀었나요?

비전공자분 중에서 이것을 기억하고 있다면, 아주 훌륭하신 것!

이것은 공부의 핵심이고, 아주 중요한 개념입니다.

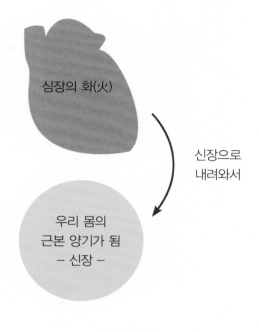

심장의 화(火)

신장으로
내려와서

우리 몸의
근본 양기가 됨
- 신장 -

[그림 15]

　이 근본 에너지는 바로 우리 몸의 근본 양기(陽氣), 생명력이 됩니다.

　흔한 말로 스테미너라고 할 수도 있고, 아니면 근본 양기라고 말할 수도 있습니다. 이 양기(陽氣)가 약한 사람은 정력도 당연히 약하겠죠?

　이것을 자동차로 따지면 마치 엔진이 약한 것보다도 훨씬 심각한 문제인 것입니다. 엔진이 약하면 자체적인 문제점으로 엔진만 교환하면 되지만, 사람은 이 근본 양기가 약하다 하여 심장과 신장을 교체할 순 없기 때문입니다.

　이때부터 우리 몸에는 각종 불균형이 발생하게 되고, 그 불균형들은 결과적으로 수많은 병을 유발하게 됩니다.

☯ 심장이 우리 생명력과 삶을 지탱하는 원동력이라는 첫 번째 이유는, 바로 위와 같이 수화지교의 원리로 근본 양기를 생성하는 것을 의미합니다.

이것은 갓 태어난 아이부터 머리가 백발이 되신 어르신들까지…, 인간이면 단 한 사람도 예외 없이 적용되는 몸의 중요한 개념입니다.

이러한 수화지교가 무너지면, 결과적으로 우리 몸의 근본 양기가 쇠약해지기 때문에 그때부터는 종합병원이 되는 몸을 피할 수 없게 됩니다.

우리 몸의 근본 에너지를 공급해주는 심장의 화(火).

허나 자기 혼자 우리 몸의 가장 근본으로 내려가지는 못합니다.

신장이라는 베스트 프렌드가 있어야 손잡고 내려갈 수 있음을 기억하세요.

:: 심 신(心神)

심장이 우리 인생의 근본 에너지가 되는 두 번째 내용을 살펴봅시다.

심장은 우리 마음입니다. 마음 심(心).

모든 사고와 생각, 열정과 도전은 뇌(腦)와 심장의 활동을 통해 나타납니다.

그래서 예로부터 심장은 우리의 신(神)을 주관한다고 하였습니다.

이러한 이유로,

심장에 불균형이 발생하면, 여러 가지 정신적 문제가 나타나게 됩니다.

예를 들면, 어느 순간 괜히 불안하고, 심장이 두근거릴 수 있습니다.

중요한 일을 앞두고는 머릿속이 갑자기 백지가 될 수도 있습니다.

갑자기 슬퍼질 수도 있고, 어쩌면 미친 사람처럼 웃고 다닐 수도 있으며,

심장에 화(火)가 위로 뜨면 꿈을 많이 꾸고, 수면이 미흡할 수도 있습니다.

심장이 건강한 사람은,

소심(小心)하지 않습니다. 밝고 진취적이며, 긍정적입니다.

자신에게 기뻐할 줄 알고, 삶에 대한 열정과 희망이 있습니다.

그 희망과 열정은 우리의 삶을 지탱해주는 원동력이고, 추진력입니다.

그것이 없으면 그는 그저 몸만 있는 시체와 다를 것이 없죠?

심장에 나타나는 병인 협심증, 부정맥, 심근경색?

이러한 병들은 몸의 불균형들이 종합되어 나타난 결과물일 뿐입니다.

심근경색이 심장에서 나타난다고 해서 심장만의 병(病)이 아닌 것입니다.

이는 아토피가 피부에 나타난다고 피부만의 죄(罪)가 아닌 것과 같습니다.

몸의 근본을 놓친 온갖 검사와 노력은 그저 공허한 울림에 불과합니다.

뒷장에서는 비염이란 병증도 공부하게 됩니다.

앞에서 말한 우리 몸의 근본 양기(陽氣)가 부족하게 되면,

폐(肺)는 외부 차가운 기운 등에 쉽게 얼어서 무릎을 꿇게 된답니다.

그리고 추워서 벌벌 떨며 움츠리고만 있습니다. 그 결과 폐는 수분을 제대로 처리하지 못하여, 결국 폐와 연결된 코에서 물이 흐르게 됩니다.

이러한 몸의 증상을 '비염'이라고도 하고 '알레르기'라고도 합니다.

'면역 이상 반응'이라고도 합니다. 그런데 과연 이것이 '이상' 반응일까요?

◉ 몸의 반응은 다 정상반응입니다.

이유가 있으니까 결과가 나타나는 것.

콧물이 코와 부비동을 가득 채우고 있으면, 시간이 지날수록 물이 섞으며 부비동염 같은 결과물이 생길 수 있는 것은 당연합니다. 비염은 콧물이 흐르는 원인이 아니라 결과적인 상황이죠?

콧물의 원인이 코에 발생한 염증이라면, 그것만 없애면 만사형통이겠지만, 염증하고 콧물은 그렇게 큰 상관이 없습니다.

염증 등 여러 가지 검사결과들은 몸의 불균형을 파악하고, 한약을 처방하는데 일부 참고자료가 될 뿐입니다. 근본 원인을 놓치고 염증 같은 결과적 현상 제거에만 매달린다면, 절대로 근본 문제를 해결할 수가 없습니다.

우선 일절하고, 심장에서 중요한 것은 바로,
☯ 심장은 이렇게 삶을 지탱해주는 원동력이고 근본 에너지라는 것.

· 그중 **첫 번째**는 바로

  심화(心火)는 아래로 내려와 우리 몸의 근본 에너지로 된다는 것.

· **두 번째**는

  정신을 주관하여 우리의 열정과 삶의 욕구와 직접적 연관이 있다는 것.

이 두 가지가 심장의 가장 기본이 되겠습니다.

다음 시간에는 앞서 배운 근본 양기가 무엇인지 조금 더 구체적으로 공부해 보도록 합시다.

02.
명문화(明門火)

명문화는
우리 몸의
근본 에너지.

수 화지교.
　　　ⓔ 심장과 신장의 교류, 우리 몸의 핵심 시스템이었습니다.

심화(心火)는, 우리 몸에서 바로 사용되지는 않습니다.

신장의 기운이 다가와 자신을 이끌어주는 곳으로 내려가야, 근본 에너지로 저장됩니다. 그래야 몸의 근본 양기(陽氣)의 역할을 수행하면서, 비위(脾胃)나 폐(肺) 등에 에너지를 공급할 수 있습니다.

이 에너지가 보일러에 충전된다면 그 보일러는 집 안의 온도를 따뜻하게 유지시켜줄 것이며, 만약 가스레인지로 가면 가스 불로 변해 음식을 요리해주고, 영양분을 만들어줄 것입니다.

이러한 근본 양기는 몸의 전반적인 기능유지에 핵심적 임무를 담당합니다. 그럼 이 근본 양기를 뭐라 표현했습니까? 입문 편에서도 한번 언급했습니다. 이는 한약 공부의 가장 핵심이 되는 대상입니다.

☯ 그는 바로 '명문화'라고 했습니다.

명문화라는 것은 심장이란 생명의 원동력이 우리 몸에서 실제 사용될 수 있는 근본 에너지로 변화된 것으로, 우리를 살아가게 해주는 양기(陽氣)와 생명력이 됩니다. 이를 바로 '명문화'라고 합니다.

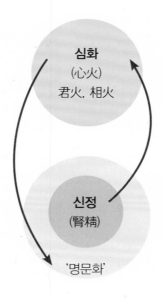

[그림 16]

명문화가 약하면 몸이 도대체 어떻게 반응하길래, 지겹도록 근본 에너지를 반복하고 수도 없이 '수화지교'를 언급하는 것일까요?

입문 편을 읽고 오신 분들은 아마 의문점이 조금 적겠습니다만, 이 책을 처음 읽는 비전공자분들은 도대체 지금 언급하는 명문화가 질병과 무슨 상관이 있는지, 그래서 뭐 어쩌라는 건지 궁금하실 수도 있습니다.

:: 명문화가 쇠약해진다면?

지금 공부하는 명문화는 건강을 지키기 위한 핵심공부가 됩니다.
예를 들어, 수화지교라는 우리 몸의 시스템이 불균형일 때,
그 불균형으로 인해 몸에 나타나는 현상들과 그 반응들,
그것이 바로 우리 몸에 병(病)이라는 것으로 나타나게 되는 것.

그래서 표출된 병(病), 그 자체가 중요한 것이 아니라,
수화지교라는 시스템이 가동되지 않을 때 나타나는 현상들을 이해하는 것!
몸의 생리·병리라는 레퍼토리를 이해하는 것이 중요한 일입니다.

그래야 병만 보고, 말 한마디 듣고도 우리 몸속의 상황을 머릿속에 쉽게 그려낼 수 있는 겁니다. 물론 이게 쉬운 일은 아닙니다. 그렇다고 그것이 그리 어려운 일도 아닙니다. 예를 들자면, 당신의 명문화가 쇠약해졌을 때, 그로 인해 발생하는 몸의 '병리 스토리'를 잘 이해하면 된답니다.
지금 비록 그 모든 것을 공부할 수는 없지만, 우선 명문화가 쇠약해졌을 때 우리 몸에는 과연 어떠한 결과들이 나타날지 간단하게만 살펴볼까요?

- 수시로 감기와 몸살에 걸림, 면역력이 아주 약해짐.

- 소화가 안 된다고 호소, 가스가 잘 차고, 복통도 흔하게 나타남.

- 만성피로, 전립선염, 신장염, 방광염, 질염, 요도염 등 잘 발생.

- 요통이나 디스크, 관절이 아프다, 각종 관절염, 류마티스 등.

- 탈모, 이명(耳鳴), 시력저하, 비염, 코막힘, 지속적 알레르기 반응.

- 소변이 약하거나 잔뇨감, 요실금, 심하면 만성 설사도 나타남.

- 수족(手足)의 냉증(冷症), 천식(喘息), 기침 등 폐 관련 병증.

- 갑상샘, 부신, 자궁 등 호르몬의 불균형 발생.

- 고혈압, 불면, 뇌 관련 질병과 아토피 등 피부 관련 질병.

　　명문화 하나 부족해서 나타나는 병증들을 살펴보니 거의 종합병원입니다. 명문화, 단 하나가 부족해졌을 뿐인데, 우리 몸에는 왜 이렇게 많은 병증들이 나타날까요?

　　저 위의 것을 자세히 다 설명하려면 책 한 권은 금방 완성될 겁니다.

　　그래서 우선 소화가 안 되는 하나의 상황만 예를 들어봅시다.

　　이 책을 공부하는 당신은 근기(根機) 높은 분이므로, 하나를 이해하시면 나머지도 차츰차츰 이해가 될 것이라 믿기 때문입니다.

그럼 명문화가 부족하니까 왜 소화가 안 될까요?

쉽게 비유한다면, 소화기관인 비위는 밥솥에 해당하고 명문화는 음식을 소화하는 데 필요한 전기밥솥의 불이나 가스라고 했습니다. 가스 불에 해당하는 명문화가 쇠약하면 당연히 비위에서 음식물 소화가 미흡하게 되겠죠?

그럼 이 상황을 좀 더 깊게 이해하기 위해 뒷날 생리·병리 편 내용을 살펴볼까요? 명문화가 약하면 비장의 림프액 순환이 저하됩니다. 그럼 비장의 습담(濕痰) 생성, 정체가 과다해지겠죠? 여기에 콩팥의 배설기능까지 약해지므로, 비위에서는 수음(水飮)이 정체되어 정상적 소화활동이 제대로 이루어질 수 없게 됩니다. 그래서 명문화가 쇠약한 사람은 소화불량이 당연히 나타나게 되는 것입니다.

명문화가 급격히 부족해지는 월경 시나 갱년기도 마찬가지입니다.

그때 몸이 피곤하고, 가스차고, 소화가 불량한 사람에게 가장 필요한 것은 무엇일까요? 그녀가 소화불량이라고 일반적 소화제만 복용해봤자 근본적인 불균형 해소에는 좀 미흡하다는 것을 여러분도 이해하실 겁니다.

가장 명심해야 되는 것은, 명문화라는 것이 우리 몸에서 매우 중요한 개념이라는 것, 두 번째는 우리 몸은 서로서로 상호 연기되어 있다는 것입니다.

명문화 때문에 소화가 잘 안 되어서 가래가 잘 생기고, 그래서 가래 기침을 자주 하고, 콧물을 줄줄 흘리고, 기관지염이 발행하고, 폐렴도 발생하며,

피부에는 음식의 열독(熱毒)으로 인해 가려움이나 아토피가 나타나는 것을 이해한다면, 우리 몸은 저 혼자 잘나서 독불장군처럼 살 수는 없다는 것을 알 수 있습니다. 모두 다 상호 '연기(緣起)'랍니다.

:: 연 기(緣起)

선천지정과
후천지정 유지가
건강의 기본.

'활혈'을 배웠습니다.

활혈 시, 혈액에 에너지를 공급해주는 기관은 누구였습니까?

그것은 바로 신장(腎臟)에서 '활혈 에너지'를 공급해줬습니다.

이렇게 활혈 시 공급하는 신장 에너지를 바로 정(精)이라고 불렀습니다.

☯ 신정(腎精)이라 부릅니다.

그럼 이 신정(腎精)은 누가 만들어주나요?

신정(腎精)은 태어나면서 받은 것과 후천적으로 저축하는 것이 있답니다.

뭐 재산과 비슷합니다. 유산으로 받는 것과 자기가 벌어서 저축하는 것!

유산처럼 부모한테서 받는 것, 이를 '선천지정(先天之精)'이라 합니다.

비위에서 음식을 소화하고 그 영양물질을 전신에 공급하고, 일부는 정(精)

이라는 것으로 저장되는 것을 '후천지정(後天之精)'이라 합니다.

정(精)이란

선천지정(先天之精)
태어나면서 받은 생명의 에너지   +   후천적으로 생성, 보충되는 에너지
－ 신(腎) －

후천지정(後天之精)
후천적으로 생성, 보충되는 에너지
－ 비(脾) －

정(精)은 신장에서 주관하므로 신정(腎精)이라고 합니다.

이 정(精)은 신장을 중심으로 전신에 분포되어 있답니다.

예를 들어, 뇌를 채우고 있는 뇌수도 정(精)의 또 다른 모습이고, 전신에 퍼져 있다가 성관계 시 고환으로 모이는 정액도, 신정(腎精)의 변형된 모습이라 생각하시면 이해가 쉽습니다.

그런데 수화지교 과정에서 가장 중요한 것은 바로, 신장의 기운이 충만하여야 그것이 위쪽 심장으로 올라간다는 것입니다.

이 신장의 기운이 바로 신장의 정(精)을 의미한답니다.

우리 몸은 신정(腎精)이 충만해야 수화지교가 잘 이루어지고, 수화지교가 잘 이루어져야 근본의 생명력인 명문화가 잘 생성됩니다.

명문화가 강력해야 근본 양기(陽氣)인 불이 강력하고, 불이 강력해야 비위에서 음식물의 소화가 잘 이루어지고, 결국 영양생성이 잘 되게 됩니다.

이렇게 비위에서 영양의 생성이 잘 이루어져야 후천적인 에너지, 다시 말해 '후천지정(後天之精)'이 충만하게 저장될 수 있습니다.

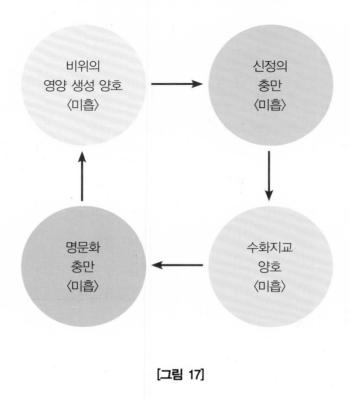

[그림 17]

우리 몸의 오장육부는 모두 서로 연기(緣起)되어 있습니다.
한약이 왜 연기(緣起)의 학문인지 느끼게 해주는 하나의 예입니다.

코가 막히고 가래가 나온다고, 그 원인을 축농증이라 하는 것은 0점.
가래가 나오는 것을 보며, 비위의 담음이 원인이라고 하는 것은 50점.
100점짜리 방법은 앞으로 공부해서 터득합시다.

:: 심장 편 마무리

의약학은 몸의
조화를 찾는 학문.

👁 앞에서 공부했듯, 우리 몸은 서로서로 연기되어 있습니다.
명문화가 쇠약한 것은 명문화만의 부족으로 끝나는 것이 아닙니다.

명문화가 약하니, 소화불량으로 영양 생성이 미흡, 결국 정(精)도 부족.
신정(腎精)이 부족하니 간에서 혈액이 새롭게 태어나지 못하고,
결국 이렇게 활혈이 부족하니, 만성피로, 각종 염증이 발생하며,
간에서 활혈이 안되니 상대적으로 소설작용까지 이루어지지 않으며,
소설이 제대로 이루어지지 않으니, 간(肝)에 울화(鬱火)가 발생하고,

이렇게 발생한 울화(鬱火)는 심장을 공격하고,
이는 심화(心火)와 더해져서, 화(火)를 치솟게 하고,
화(火)가 머리로 치솟아 불면증이 생기고, 뇌압이 높아지고,
뇌압이 높아지니 당연히 귀와 눈의 압력도 높아지고,
그래서 이명이 발생하고, 녹내장이 오고, 탈모가 발생하고,
혈압도 높아지고, 그래서 눈에서, 뇌에서 혈관이 터져버릴 수도 있겠죠.

녹내장 때문에 눈알만 검사하면 정답이 나올까요?

나비효과처럼,

몸속 시스템 하나의 불균형으로 인해, 그 문제는 전체로 퍼져 나갔습니다.

이는 우리 몸뿐만 아니라, 이 세상사가 모두 마찬가지입니다.

어릴 적, 남을 배려하지 않던 이기적이던 부모의 행동 하나가

경쟁, 다툼, 그리고 아집과 독선으로 뭉친 인간을 양성시키고,

서로가 가진 탐욕과 분노는 서로서로 믿을 수 없는 사회를 형성합니다.

우리 몸도 마찬가지입니다.

비염이란 결과가 왜 나타났는지, 갑상샘항진증이란 결과는 왜 나타났는지, 그 몸을 바라볼 수 있는 눈이 중요합니다.

이것을 제대로 파악하지 못하는 의학은 의학이 아니고, 학문이 아닙니다.

그런 것을 두고 '기술'이라고 하는 것입니다.

☯ 한의학과 양의학의 차이는 병과 몸을 바라보는 '관념'의 차이!

과학 기술과 기계는 이 두 영역을 구분하는 기준이 아닙니다. 예를 들자면, 물리학자가 발견한 x-ray라는 기술은 양의학도 아니고 한의학도 아닙니다. 그저 기술이고 과학입니다. 사회가 발전하면, 그런 기술들도 같이 발전하는 것이고, 그런 기술은 필요한 영역에서 적절히 사용되는 것뿐입니다.

서양이란 열강의 침입이 없이 기존의 의학이 그대로 지속되었다면,

지금 사용하는 여러 의학 장비와 기술들은 기존의 의학 관념 속에서 자연스럽게 사용되어졌을 겁니다.

기계는 누군가가 이용하는 수단일 뿐이죠?

두 의학의 차이는 바로 그 수단을 이용하는 사람의 관념과 정신의 차이.

☯ 이 '관념'이란 것은 바로 사람의 몸을 바라보는 관점을 의미합니다.

예를 들면, 추간판 탈출증을 수술로 치료하는 것은 양의학, 비수술로 치료하는 개념은 한의학이 아니라는 겁니다. 수술은 조선 시대에도 시행되었습니다. 세월이 흘러 기계가 발전하고, 메스가 날카로워진 것뿐.

관념의 차이라는 것을 많은 예를 들어가며 설명하자면,

요통, 디스크를 수술하더라도 약해진 허리를 위해 신장의 허약함을 보충해 주는 신허(腎虛)나 혈허(血虛), 기체(氣滯), 담음(痰飮)요통 등의 개념이 있으면 우리 한의학이요,

디스크 수술을 하지 않더라도 진통제, 주사 등의 수단으로 증상의 차단과 외부에 나타난 증(症)의 해결에 집중하는 것이 바로 양의학의 관점.

아토피를 치료할 때 염증과 가려움을 억제하는 약물치료가 중심이 되는가, 아니면 몸속 열독(熱毒)을 원인을 제거, 발산하고 신장의 에너지를 정상화하는 방법이 중심이 되는가!

콧물, 재채기를 치료할 때, 소염제가 중심이 되는가,

아니면 폐의 차가운 기운을 몰아내고, 명문화를 강하게 하는 방법이 중심이 되는가? 이렇게 사람 몸에 대한 관념의 차이를 의미하는 것입니다.

의학, 약학이란 증상만 없애는 기술이 아닙니다.

의학, 약학의 핵심은 바로 몸의 중용(中庸)을 찾는 길입니다.

심장 편을 마쳤습니다. 명문화와 마음을 꼭 기억하세요.

욕망은 우리를 열정으로 이끌어주지만,

고통과 불행의 씨앗도 됩니다.

그 욕망 중, 식욕(食慾)이란 것은,

가장 통제하기 힘든 욕구 중 하나로,

음식을 섭취함에

과한 것보다

부족한 듯, 살아가는 것이 고통에 빠지지 않고,

건강을 지키는 현명한 길이 되겠습니다.

Ⅲ_ 비(脾)

과유불급(過猶不及)

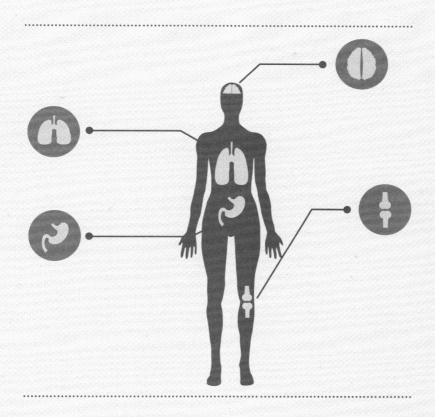

01.
비별청탁(泌別清濁)

비위는 비별청탁과 승청강탁.

우리는 식물처럼 광합성 하며 살아갈 수는 없습니다.

곡식, 과일, 동물 등을 먹고, 소화를 잘 하여야 생명유지에 필요한 영양분을 획득할 수 있습니다. 우리 몸에서 영양을 생성할 수 있는 주인공은 오직 비위(脾胃)! 타고난 근본이 아무리 강해도 비위가 없다면 무용지물.

비위의 역할은 이러한 영양생성이 핵심이지만, 그 과정에서 비위의 불균형이 발생하면 그것이 병이라는 것으로 표출되게 됩니다. 위염이란 결과도 중요하지만, 그것이 왜 발생하였는지가 더욱 중요하겠죠?

비위에서 음식물을 섭취하면 그것을 소화시켜 그 영양분을 흡수합니다.

비위에서 소화가 진행될수록 음식물은 죽처럼 변해가고, 그렇게 죽이 되며 분리된 음식물은 소장을 거치면서 영양분만 따로 흡수되겠죠?

반대로 남은 찌꺼기는 아래로 내려가 항문을 통해 배출됩니다.

여기 음식물이 분리된 후 영양분이 되는 것을 청기(淸氣)라고 했고,
음식물이 분리된 후 배출해야 하는 찌꺼기를 탁기(濁氣)라 했습니다.

이렇게 음식물을 소화하여 청기와 탁기로 분리하는 것을 두고, 우리는
☯ 비별청탁(泌別淸濁)이라 공부했었습니다.

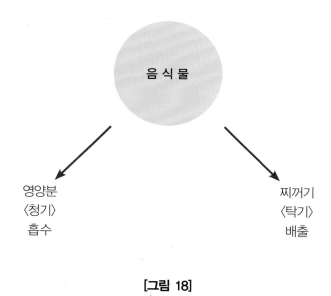

[그림 18]

이렇게 음식이 '비별청탁'되기 위해서는 우선 소화가 잘 이루어져야 합니다.
그래야 소장에서 청기의 흡수가 잘 될 겁니다. 그런데 이러한 소화의 과정에
문제가 발생하여, 음식물의 분해와 흡수에 장애가 발생하면 어떻게 될까요?
쉽게 생각해서 우선 떠오르는 증상만 적어봅시다.

1. 속이 더부룩할 수 있습니다.

2. 배가 빵빵하고, 대변의 상태가 불량할 수 있습니다.

3. 가스가 잘 차고 방귀도 많이 나올 수 있습니다.

4. 음식을 먹으면 잘 체할 수 있습니다.

위 네 가지 사항은 공부를 안 했어도 누구나 예상할 수 있죠?

우리의 건강을 지켜나가는 의약학이란 전문가만의 영역이 아닌,

누구나 예상할 수 있는 삶의 한 분야가 되어야 합니다.

위와 같은 상황들은 누구나 흔하게 나타날 수 있는 증상들이라 무심하기 쉽습니다. 그러나 왜 이러한 증상이 나타날까 고민해보는 것도 중요합니다.

"위장에 염증이 있어서 소화가 불량하군요."

"역류성 식도염 때문에 속이 더부룩합니다."

이러한 설명으로는 이제 여러분의 공감을 얻어낼 수 없을 겁니다.

우리는 소화가 안 되는 근본원인이 궁금한 것이죠?

기초 편에서 설명하기는 어려운 부분이지만, 한약공부의 방향을 이해해보기 위해 지금부터 비별청탁을 간단하게 살펴보도록 하겠습니다.

:: 소 화(消化)

소화가
불량한데
기침이?

영양분을 흡수하기 위해 음식물을 청기와 탁기로 분리하는 것을 '비별청탁'이라 했습니다. 이렇게 음식물을 청기와 탁기로 분리하고 흡수, 배출해주는 과정이 비위의 핵심 기능 중 하나!

그런데 만약, 소화가 안 되면 어떠한 병증이 나타날까요?
복통이나, 설사, 속이 더부룩하거나 불편한 것은 물론이고,
위염, 역류, 트림, 입 냄새, 가스, 가래 등도 나타나게 될 것이고, 심하면
기침, 허리, 관절 아픔, 부종, 두통, 아토피, 불면 등도 나타날 수 있습니다.
오…, 소화가 안 되는 것 때문에 허리가 아프고, 아토피에 기침이라?

특히, 아이들이 할머니 집에 놀러 갔다가 오면, 갑자기 기침을 하고 몸이 아파지는 경우가 많습니다. 열나고 콧물 나고, 기침하면 그냥 감기일까요?
사랑스러운 손자 손녀들을 위한 조부모님의 과도한 음식공세는 귀여운 아이들을 아프게 하는데요, 왜 이런 증상들이 나타날까요? 한 가지 예로,

☯ 음식 때문에 몸이 상해서 나타나는 기침을 '식적수(食積嗽)'라 합니다.

아이스크림 등 찬 음식이나 소화가 힘든 단백질과 인스턴트 음식, 과자나 빵 등을 과도하게 섭취하거나 음식에 문제가 있었다면, 그날 저녁부터는 오한과 발열, 기침과 콧물, 구토, 기관지염, 폐렴, 중이염, 편도선염이나 장염 등 수없이 다양한 증상들이 나타날 수 있습니다.

이렇게 음식으로 인한 고통은 실제 비위가 미성숙된 아이들에게 굉장히 많이 나타나는 현상입니다. 허나 이래도 해열제, 소염제 복용이죠?

우선 소화가 안 되었을 때, 왜 이런 증상이 나타나는지 공부해야겠죠?

그럼 지금부터 소화가 잘 안 되는 원인을 공부해봐야 하겠습니다.

그것이 비위공부의 핵심이 될 것입니다. 공부의 핵심 3단계는요.

---

1. 음식이 소화 안 되는 이유는 무엇이고,

2. 그것으로 인해 나타나는 몸의 불균형들은 어떤 것인가?

3. 그리고 그 불균형으로 인해 발생한 병을 해결하는 방법은 무엇인가?

이 세 과정이 한약을 사용하는데 가장 중요한 핵심.

특히, 병이 발생한 몸의 근본 불균형을 이해하여야 그로 인한 병증을 해결할 수 있으므로, 그 병이 발생한 몸속 불균형을 이해하는 것이 무엇보다도 중요하답니다.

:: 소화불량의 원인 1

소화불량의
원인 3가지.

지금부터 소화가 안 되는 대표적인 원인 3가지를 공부합니다.

이는 아주 중요한 개념이 됩니다. 이 내용을 제대로 이해하여야 소화불량에 따른 처방을 적용할 수 있으니까요, 그럼 3요소를 살펴볼까요?

3요소 중, 소화불량의 첫 번째 원인은 바로,

☯ '명문화의 쇠약'이 되겠습니다.

명문화가 비위로 가면 밥을 하는 불의 역할을 해준다고 했습니다.

가스레인지 불이 약한 사람은 그저 수시로 소화가 안 되고, 가스차고, 복통도 잦고, 월경할 때는 복통이나 소화불량이 더욱 심해지기도 합니다. 월경할 때는 왜 소화가 더 안 되는 것인지, 35세 박모 여성을 살펴봅시다.

예를 들어, 그녀가 가지고 있는 명문화라는 신장 에너지가 총 100이라고 가정합니다. 평상시에는 그녀가 가진 명문화 100중에서 소화하는데 30, 체온유지 30, 폐(肺)로 20. 이런 식으로 곳곳에 분배해왔다고 생각합시다.

그런데 드디어 공포의 월경기간이 다가왔습니다.

순조로운 월경을 위해 자궁 쪽으로 많은 에너지를 공급을 해줘야 하는데,

박모 여성이 가진 100이란 명문화 중 50이 자궁으로 보내졌다면?

나머지 50으로 소화도, 체온유지도, 폐(肺)로도 보내고, 이렇게 50만으로 아끼며 쓰니까, 결국 필요한 곳에 에너지가 잘 공급될 수 없게 됩니다.

결국, 소화를 위해 비위에 전달되던 명문화 양이 부족해지게 됩니다.

그럼 당연히 월경 시에 소화불량이 나타나게 되겠습니다.

월경 시 나타나는 허리 통증도 마찬가지 개념입니다.

☯ 허리는 신장이 주관한다고 공부했습니다.

그럼 명문화라는 개념을 가지고 여러분 스스로 월경 시 요통의 원인,

지난 편에서 언급된 콧물과 기침이 나는 이유를 스스로 유추해보시기 바랍니다. 여러 가지를 많이 아는 것보다 한 가지를 오래 고민하고 유추해서 완전히 자기 것으로 만드는 것이 바로 한약 공부의 지름길입니다.

:: 소화가 안 되는 원인 2

간기범위란?

● 소화불량 두 번째 원인은 간(肝)이 열 받은 경우입니다.

간이란 장기는 화가 나면, 옆에 있는 비위를 괴롭히는 성향이 있답니다.
이는 간(肝)과 비위(脾胃)의 아주 중요한 관계 중 하나랍니다.

45세 한 여성이 남편 때문에 스트레스를 지속 받았습니다.
스트레스를 지속 받았으니까 간(肝)이 울체되고, 울화병이 생겼겠죠?
간이 울체(鬱滯)되고, 그로 인해 발생한 울화(鬱火)가 바로 옆에 있는 비위(脾胃)를 억압하며, 화상을 입히고 있습니다. 이렇게 되면 비위는 정상적 작동이 힘들게 됩니다.

결과적으로 비위는 간의 화(火)로 인해 염증이 생긴다든지, 가스가 차고, 배가 빵빵해질 수도 있습니다. 어쩌면 간의 화(火)가 위로 치솟아오를 때, 위산의 신물이 같이 솟아오를 수 있겠습니다. 이는 결과적으로 역류성 식도염이 되죠? 이런 결과보다는 이런 상황이 발생한 과정이 중요한 것.

허나 이럴 때 위장에 발생한 염증제거에만 집중하고, 간(肝)의 불균형을 해소해주지 못한다면 소화의 불량은 지속될 것입니다.

이렇게 간이 비위를 억누르는 상황을 두고 우리 한의학에서는

🌑 간(肝)이 비위(脾胃)를 범(犯)한다고 하여 '간기범위(肝氣犯胃)'라고 말한답니다. 간기범위는 스트레스로 인해 자주 발생한답니다.

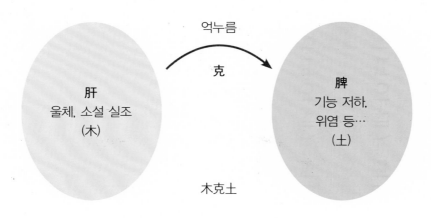

[그림 19] 간기범위 = 간비불화(肝脾不和)

위염, 역류성 식도염 등 위장 염증의 많은 부분이 바로 이러한 간기범위에서 나타난 산물이 됨을 기억하신다면, 뒷날 처방과 치료법도 자연스럽게 이해되실 겁니다.

간의 화(火)가 위장 자체를 공격하면 위염,

간의 화(火)가 위로 치솟으면서 위산까지 따라 올라가면 역류성 식도염,

그럼 여기서, 이러한 사람이 소화가 안 되는 이유는 무엇일까 묻는다면?

1. 스트레스로 인한 '간기범위(肝氣犯胃)' 때문에

2. 위염, 역류성 식도염 때문에 소화가 안 되어서

우리는 이 둘 중, 어떤 답을 선택할까요?

🌑 세 번째는 소화불량의 원인은 비위(脾胃) 자체 작동력이 약한 경우로,

예를 들면 20만 원짜리 쿠쿠로 밥하는 것과 3만 원짜리 오래된 전기밥솥으로 밥하는 것과의 차이입니다.

또한, 마지막으로는 식생활이 불규칙적인 상황입니다.

폭식, 야식 등은 담음(痰飮), 식적(食積) 등이 더욱 잘 발생하겠죠?

대부분 소화불량이란 위와 같은 네 요소가 서로 합쳐져 발생하게 됩니다.

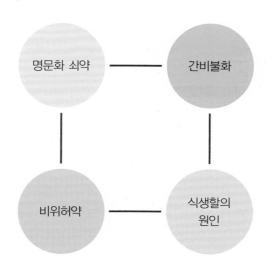

[그림 20] 소화불량의 4요소

예를 들면, 명문화가 쇠약한 사람이 최근 스트레스를 지속 받았고,

최근 저녁에 술을 자주 먹고, 과식을 하니까 드디어 소화불량과 복통, 가스가 차는 상황에 고통을 호소하게 됩니다.

이런 상황에 내시경을 하고 헬리코박터가 얼마나 있는지 확인하는 것도 필요하겠지만, 그것보다 더 우선은 무엇입니까?

장담하는데, 우리 몸의 생리·병리를 제대로 이해한다면!

내 몸에 이러한 병(病)이 왜 발생하게 되었는지, 그리고

이 병을 어떻게 해결해줘야 하는지 눈에 다 그려지게 된답니다.

병이란 원인은 복잡하지 않습니다. 간단한 요소에서 발생하게 되는 것!

에볼라, 신종인플루엔자 등 급성병이 아닌 다음에는, 굳이 복잡한 진단과정이 필요가 없게 된답니다. 또한, 소화가 불량하다며 위장에 문제가 있나 걱정되어 굳이 마취를 하고 내시경을 할 상황도 줄어듭니다. 왜냐하면, 공부를 지속하면 우리 몸 안에서 돌아가는 상황이 뻔히 보이기 때문입니다.

그래서 말 한마디만 들어도, 그 원인이 점차 눈에 보이게 되는 것입니다.

이는 어려운 단계이지만 바꿔서 생각한다면, 노력하는 사람이라면 누구나 도달할 수 있는 수준일 수도 있습니다.

:: 소화불량 해결

소화불량의 원인에 따른 처방연결.

    이렇게 소화불량의 원인을 이해하였다면, 이제 그에 따른 적합한 처방을 사용해주면 될 것입니다. 뭐 예를 들면,

- · 약해진 가스레인지의 가스 불을 높여주는 처방!

- · 싸구려 전기밥솥을 비싼 밥솥으로 업그레이드시켜주는 처방!

- · 화가 난 간(肝)을 달래주고, 불쌍하게 억눌린 비위를 달래주는 처방!

- · 폭식, 부적절한 식생활로 쓰레기가 많아졌다면 청소를 해주는 처방!

    몸을 이해하고, 불균형의 원인을 파악하고, 해결책인 처방을 이해하는 것! 이 과정이 우리가 공부를 해나가는 올바른 단계입니다.

여기에서의 해결책이란 한약의 처방이죠?

1번 가스 불의 개념은 명문화 보강에 해당합니다. 대표적인 처방으로는 바로 팔미지황환이라는 것이 있습니다.

2번 밥솥 기능 향상, 비위 운동 자체가 약함을 돕는 대표 처방으로는 사군자탕을 기본으로, 삼령백출산, 삼출건비탕, 보중익기탕 등의 명 처방들이 있습니다.

3번 간기범위 상황은 간을 달래주거나, 비위에 힘을 주는 처방으로는 계지가작약탕, 소건중탕이나 소시호탕 등이 있습니다.

4번 식생활 불규칙으로 인해 생긴 비위 찌꺼기 없애는 처방으로는? 평위산이나, 이진탕, 차가운 기운에는 이중탕 등이 사용될 수 있습니다.

쉽게 비유하여 비위의 장애를 떠올릴 때는, 물먹은 솜이나 물속에서 달리기 하는 느낌을 상상하시면 됩니다. 비위를 건강하게 한다는 것은, 결국 물먹은 솜을 뽀송하고 가벼운 솜으로 만드는 것임을 기억하시기 바랍니다.

[그림 21]

:: 병의 원인을 쉽게 아는 법

　공부의 전반적 방향을 살펴보기 위해 처방까지 살펴보았습니다.

　위의 과정이 바로, 몸의 불균형을 이해하고 그에 적합한 처방을 적용하는 대략적 과정입니다. 만약, 지금 우리가 처방공부가 된 상태라면 지금 공부가 더욱 재밌겠죠?

　"그럼 소화가 안 되는 원인이 명문화 부족인지 어떻게 알아내지?"

　"간기범위(肝氣犯胃)가 원인인지는 어떻게 알아낼 수 있지?"

　"비위도 약하고, 결과적으로 명문화도 약하면 어떻게 해결하지?"

　"스트레스가 오래돼서 간기범위가 심하고, 결과적으로 신장도 약해졌고, 수면불량, 디스크, 고혈압에, 뇌경색에… 이렇게 복잡한 사람은 어쩌지?"

　아주 좋은 질문들이죠?

　이런 질문들을 해결하는 것이 결국 약을 제대로 쓸 수 있는 핵심 사항입니다. 특히, 3, 4번째 질문유형의 사람들은 그 치료가 더욱 복잡하겠죠?

　그런데 대부분의 사람들이 불행히도 이렇게 복합적이고, 만성적입니다.

이와 같이 비위에서 소화가 안 되는 원인은 무엇이며,

소화가 안 되면 몸에서는 결과적으로 어떤 병이 나타나는지 이해하는 것,
그것이 바로 우리들이 공부해나가는 순서입니다.

공부의 마지막 단계란, 그러한 노력과 실력이 쌓여서,

이 사람이 명문화가 쇠약해서 발생한 소화불량인지,

간(肝)의 울체로 인해 간기범위 되어 나타난 소화불량인지,

그것을 파악할 수 있는 눈을 가지는 것이 중요한 것입니다.

그 눈은 공부를 제대로 하다 보면 저절로 생기게 됩니다.

허나 공부를 제대로 하지 않으면 아무리 공부해도 그런 눈은 쉽게 얻을 수
없을 겁니다. 예를 들면, 역류성 식도염은 간화가 상승하며 발생한다 했지만,
화기(火氣)와 반대인 '수기(水氣)'의 상승으로도 나타납니다.

공부도 순서가 있습니다. 그 순서를 무시해버리면, 한계에 봉착합니다.

우리는 사람 잡는 선무당이 되어서는 안 됩니다.

우리 몸을 열심히 공부하면, 대부분의 만성병들은 그 원인이 자연스럽게 보이
게 됩니다. 그 외 세부적 결과, 예를 들어 종양의 크기가 궁금하고, 염증이 얼마
나 발생했는지 파악하고 싶다면 현대의 좋은 기계로 확인하고 참고하면 됩니다.

허나 그러한 결과보다도 명문화 쇠약, 간기범위를 파악하는 눈이 핵심.

그것의 왕도는 바로 몸을 제대로 공부하는 것이라 말씀드렸습니다.

이렇게 몸을 이해하는 사람은 그렇게 안 좋은 상황이 발생하지 않도록

평소에 조치하고 노력합니다. 물론 그렇게 노력해도 병의 발생을 완벽히 막
을 수는 없습니다. 육체를 가진 인간은 무조건 아프게 되어 있습니다.

그래서 더 노력하고 노력해야 합니다.

똑같은 한약이라고 다 같은 한약이 아니랍니다.

조화롭게 처방을 사용하는 사람에게는 그 처방이 명방이 됩니다.

명문화를 위한 팔미지황환이란 처방은 황금보다 귀한 처방이 되지만,

몸을 이해하지 못하고, 약을 사용하는 사람의 팔미지황환은 그저 하수오, 산수유 하나 먹는 것보다도 못하게 됩니다.

· 갱년기에는 백수오가 좋다.- 20점
· 신허가 급격히 진행되는 갱년기에는 간(肝)과 신(腎)을 보강하는 백수오도 큰 도움
  이 된다.- 100점

신허(腎虛)와 갱년기의 의미를 이해하면 꼭 백수오만 고집할 필요는 없겠죠? 수많은 처방과 약초가 모두 자신에게 도움을 줄 수 있을 겁니다.

제대로 이해하면 약초와 한약처방은 모두에게 평등합니다.

허나 한약은 취급하는 사람에 따라 그 가치가 천차만별이라는 것!

여러분은 한약의 근본을 제대로 공부하시길 기원합니다. 그래서 여러분의 손에 닿는 모든 한약처방은 황금과 같이 귀한 약이 될 것이라 믿습니다.

02.
승청강탁(升淸降濁)

앞에서 배운 '소화'와 '비별청탁'.
이번에는 승청강탁(升淸降濁)이란 개념을 공부하는 시간입니다.
승청강탁이란 무엇일까요?

비위에서는 소화라는 과정을 거쳐 음식물을 분해하였고,
그다음 비별청탁을 통해서 청기인 음식의 영양분을 흡수했습니다.
영양분인 청기(淸氣)는 흡수, 찌꺼기인 탁기(濁氣)는 배출되었습니다.
이렇게 흡수된 영양분은 몸속 필요한 기관으로 분배해줘야겠죠?

그럼 비위에서 생성한 그 영양분을 전신에 분배해주는 임무!
즉, 오장 육부 중, 영양 분배의 임무는 과연 어느 누가 수행할 것인가!
비위에서 생성된 영양(청기)을 전달받고 분배하는 곳은 어디일까요?

☯ 비위 영양 생성 → 누가 전달을 받음 → 영양이 필요한 곳으로 전달

이러한 임무는 바로, 비위의 위쪽에 있는 폐(肺)가 수행하게 된답니다.

폐에서는 비위에서 생성된 영양을 전달받아 전신의 경맥을 통해 온몸으로 영양을 배송하는 역할을 수행하게 됩니다.

비위에서는 비별청탁 된 맑은 영양분을 위쪽의 폐(肺)로 올려주게 됩니다. 이렇게 청기(淸氣)를 폐(肺)로 올려주는 기능을 '승청(升淸)'이라 말합니다.

반대로 찌꺼기는 밑으로 내려가 대변으로 배출시켜야 하므로 아래로 내려줘야겠죠? 이 기능을 두고 '강탁(降濁)'이라 말합니다.

☯ 이 승청과 강탁, 두 가지를 합쳐서 승청강탁(升淸降濁)이라 합니다.

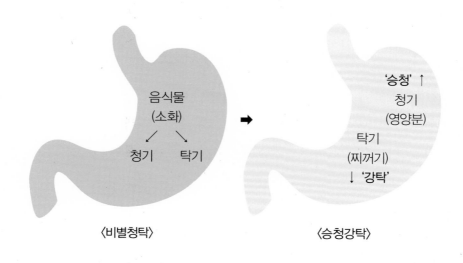

〈비별청탁〉 〈승청강탁〉

[그림 22] 비위의 양대 기능

:: 토생금(土生金)

승청의
핵심은 간(肝).

금방 배운 '승청'이란 기능에 문제가 발생하면 어떻게 될까요?

그 대표적인 예로 36세 아름다운 한 여성을 살펴봅시다.

정모 양은 최근 피곤하고 미열도 나고, 기력도 약하다고 느낍니다.

그냥 느낌일까요, 아니면 병이 있는 것일까요? 미열? 미열이 지속되면 위험할 수도 있으니까, 큰 병원에서 정밀검사를 받아야 한다며 인터넷 지식검색에 적혀있다면, 괜스레 걱정도 됩니다.

우선 이 여성은 밥을 규칙적으로 먹지 않아 영양의 생성이 미흡하고요.

양육과 직장업무를 병행하여 몸이 많이 피로합니다. 피로로 간(肝) 기능이 저하되면 어떤 기능이 제대로 이루어지지 않을까요?

☺ 간이 피로하면 바로 '승청' 기능이 제대로 이루어지지 않습니다.

영양분을 위로 올리는 승청이란 기능은 비위에서 이루어지지만,

실제로 그것을 조정하는 힘은 바로 간(肝)에 있답니다.

이런 상황에서는 영양이 폐로 전달되는 비율이 떨어지게 됩니다.

폐(肺)에서는 몸에 필요한 영양분을 전신에 공급해준다고 했는데, 결국
영양배송이 미흡하니, 전신에 영양분이 부족한 상황이 되어버렸습니다.

밥을 안 먹으니 손이 덜덜 떨리는군요. 밥 좀 달라는 신호네요.

조금만 활동해도 급격히 피곤해지고, 숨이 찹니다. 기분도 급변하네요.

이렇게 영양생성도 부족하고, 승청의 기능이 약하여 폐로 전달되는 영양도
부족해지고, 또한 몸에 영양분을 넉넉히 저축하지도 못하게 됩니다.

저축을 못 하면 근본이 쇠약해지겠죠?

입문 편에서 공부한 내용,

비위에서 폐로 영양을 전달해주는 개념이 바로 토생금(土生金)의 원리.

폐에서 영양을 신장으로 저장해주는 개념이 바로 금생수(金生水)원리.

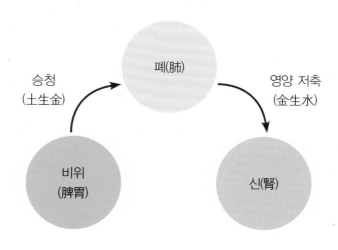

[그림 23]

이 여성의 몸 상태를 정밀검사한다고 하여, 이러한 몸의 원리를 설명해주거나 보완해주지는 않습니다.

아마 염증이나 호르몬 수치가 직접적 병의 원인으로 설명될 것입니다.
사람들도 갑상샘 호르몬 수치 같은 것을 객관적으로 제시해주어야,
"아~! 그래서 피곤했구나!" 하며 더욱 신뢰하고 수긍을 합니다.

만약, "비위의 영양이 폐(肺)로 전달이 제대로 안 됩니다.
과로와 수면부족으로 간(肝)의 기능이 약해져, 결국 비위의 '승청'이란 기능이 제대로 이루어지지 않아, 전신에 영양공급이 부족해지고, 그로 인해서 근본의 부족인 신허(腎虛)가 발생하여 더욱더 피로해지는 것입니다."
그래서 '보중익기탕'이란 처방을 복용해야 합니다.
이렇게 말하면, 말하는 사람도 어렵고, 듣는 사람도 어렵죠?

허나 우리 같이 근본을 이해하기 위해 노력하는 사람들은 노권(勞倦)이나, 허열(虛熱), 신허(腎虛), 이러한 단어들이 비염, 갑상샘저하증이라는 병명보다 더 익숙해지는 순간이 곧 오게 될 것입니다.

각설하고, 그럼 이 여성의 몸 상태를 다시 한번 파악해볼까요?

:: 피로

만성피로의
원인은
무엇일까요?

위 여성과 같은 상태는 아마 많은 사람에게 나타나는 상황으로

업무와 불규칙한 식사로 비위(脾胃)의 영양생성도 부족하고,

생성되는 영양이 부족한데 더하여 폐(肺)로 전달되는 힘도 부족하고,

그래서 폐에 전달되는 영양부족으로 몸 전신에 영양의 공급도 부족하고,

결론적으로 신장이란 몸의 금고에 저축되는 에너지양도 부족하고,

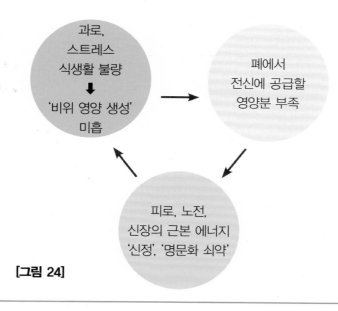

과로,
스트레스
식생활 불량
↓
'비위 영양 생성'
미흡

폐에서
전신에 공급할
영양분 부족

피로, 노전,
신장의 근본 에너지
'신정', '명문화 쇠약'

[그림 24]

이렇게 근본까지 허(虛)해진 상황이면 만성피로는 당연한 결과입니다.

이렇게 근본이 깨진 상황이면 잦은 감기와 각종 염증도 당연한 결과,

이 상황이면 계절마다, 아침마다 콧물을 흘리는 것도 당연한 결과,

이 상황에서 알레르기반응 검사도 필요할 수 있지만, 무언가 부족하죠?

이 상황에서 스트레스를 지속 받고 수면까지 부족해진다면?

갑상샘이 항진되거나, 탈모, 월경불순 등의 병증도 나타날 수 있습니다.

이 상황에 알레르기 비염이란 뻔한 결과가 나타나는 것은 당연한 것입니다.

이 상황에 미열이 지속되니 항생제, 해열제를 먹어보고, 그래도 열이 내려가지 않는다면, 정밀검사를 해봐야 할까요?

항생제, 소염제, 정밀검사도 꼭 필요한 순간이 있습니다.

혹은, 이런 수단들이 한약복용과 병행되어야 하는 상황도 있을 겁니다.

어쩌면 이러한 검사나 약들이 필요가 없는 경우도 있을 겁니다.

결론을 말하자면,

각 질병마다 그 합리적인 우선순위를 정하는 것은 쉬운 일이 아닙니다.

그래서 의약자들의 통합적인 노력과 고뇌가 필요할 것입니다.

그러나 결국, 중요한 것은, 육체의 건강은 스스로 지켜나가는 것입니다.

건강이란 삶의 질과 더불어 생명과 직결되는 것입니다.

그래서 우리 몸을 제대로 이해하는 것이 가장 중요합니다.

그리고 병이 발생한 순간에는 어떻게 해나갈지의 판단이 중요합니다.

판단의 예를 들어볼까요?

:: 육체의 주인은 바로 자신

건강, 그 누구도
책임지지 않습니다.

판단의 작은 예로는, 아이가 40도 고열이 날 때,

해열제를 복용시킬까, 백호가인삼탕이란 처방을 복용시킬까?

음식을 잘못 먹고 설사하는데 지사제를 복용할까, 위령탕을 복용할까?

맹장염이 의심되는데, 방치하면 위험하므로 급히 수술해야 할까?

항생제로 우선 치료를 해볼까, 아니면 대황목단피탕으로 치료를 할까?

맹장염이 위험해도 바로 수술을 하는 것이 옳은 방법일까?

병에 대한 이러한 수많은 고민들은

작게는 몸살감기, 기침 콧물부터,

크게는 당뇨, 뇌경색, 디스크, 뇌출혈, 암 등.

우리가 인생을 살아가며 수차례 맞이해야 하는 상황들입니다.

이는 그 누구도 피할 수 없는 숙명입니다.

이러한 상황에서 결정의 주체는 누구일까요?

만약, 우리 자신이 갑상샘항진증이 발생했거나 자궁근종이 커졌다면?

병원? 부모? 그 누구도 100% 책임지고, 자신 있게 결정해주지 않습니다.

병원은 현대 의학적 시스템에 따른 일정한 치료 방향이 있습니다.

병원은 그런 시스템 속에서는 최선을 다하여 치료한 것입니다.

허나 이렇게 결과적인 증상으로만 몸의 운명을 결정하는 시스템 속에서는 건강한 육체와 행복을 유지하기에는 어느 정도 한계가 있다는 것.

등산하다가 저 멀리 지나가는 곰을 보고는,

그냥 놔두면 무난히 지나갈 곰을 겁이 나서 먼저 선제공격하는 것,

그래서 괜히 문제를 일으키고 곰에게 죽을 수도 있습니다.

물론 이러한 선제공격이란 선택이, 다행히 내가 곰에게 죽을 수 있는 상황이었는데, 그 위험을 피해 생명을 연장한 현명한 선택일 수도 있습니다.

맹장염, 편도 수술 등 여러 치료법은 이런 상황과 비슷할 수 있습니다.

산에는 곰도 있고, 멧돼지도 있고 늑대도 있습니다.

산에서 살다 보면 늑대도 만나고, 뱀도 만날 수 있습니다.

그럴 때마다 우리는 급류에 몸을 던지며 살아야 할까요?

허나 동물들이 나타나는 산의 위치를 다 파악하고 있고, 곰을 만나더라도 조치할 수 있는 근본 수단을 가지고 있다면 상황은 다를 겁니다.

그 누구도 남의 몸을 쉽게 결정해주지는 못합니다.

그래서 우리들은 이렇게 한약을 공부하고, 내 몸을 이해하는 근본바탕에 뛰어난 현대기계와 기술을 자기 위주로 이끌도록 노력하여야 합니다.

인생에서, 한약이란 훌륭한 수단을 확보한 사람은 인생의 큰 복을 가진 것!

그것은 학교에서 박사 학위를 받는다고 가질 수 있는 무기가 아닙니다.

그것은 비방이 적힌 처방들을 수백 년 가보(家寶)처럼 간직한다고 해서, 가질 수 있는 눈이 아닙니다. 수백 년 전해지는 비방을 보물처럼 여기며, 약을 쓰는 사람은 마치 날카로운 회칼을 가진 어린아이와 같이, 이 사회에 위험한 존재일 뿐입니다.

삼국지의 관우가 쓰던 청룡언월도를 칼도 못 쓰는 자손에게 물려준다고, 그 자손이 관우 장군이 될 수 없는 것처럼 말이죠. 그런데 그 칼을 든 자기 모습이 흡사 관우가 된 것처럼 느껴져서 흥분한 나머지, 그 칼을 획획~ 휘두르며 달린다면, 괜히 지나가던 사람 몸에 상처만 입히겠죠.

◉ 한약을 가진다면, 인생의 큰 불안을 최소화할 수 있습니다.

아프고 병이 오는 두려움과 고통을 내 자식도 그대로 느껴야 한다면,
비싼 보험 아무리 들면 뭐하고, 돈이 아무리 많아도 오십보백보입니다.
대학병원 비싼 검사장비가 매일 몸을 봐준다고 근본 해결책이 나올까요?

병에 대한 판단과 올바른 치료방향을 결정하려면 내 몸에 대한 이해와 실력이 필수입니다. 실력이 부족하면 염증 하나, 콧물 하나에도 고민하고 불안해집니다. 그리고 간단했던 문제를 점점 더 복잡하고 어려운 상황으로 만들어갑니다.

뒷날 꼭 『흰띠 한약사』가 아니더라도 다른 훌륭한 한의학 서적들을 잘 이용하셔서 몸에 대한 실력을 기르시길 기원합니다.

:: 가 래

담적은 무엇일까요?

"에휴~, 저 인간은 맨날 먹고, 자고 커억~ 가래 뱉고, 방귀나 뀌고…."

이런 사람… 정말 가족만 아니라면 같이 안 살고 싶다고요?

더러운 가래와 방귀는 저 인간에게 왜 많이 생길까…, 더 근본적으로 질문하자면, 인간은 왜 방귀와 가래 같은 물질에서 벗어날 수 없을까요?

공장에서 물건을 생산하면 폐기물이 발생하듯,

가래와 방귀 등은 비위에서 음식을 소화하면서 배출되는 필연적인 찌꺼기들이 되겠습니다. 즉, 음식을 먹고 사는 인간이면 가래나 방귀, 트림 등을 모르고 살 수 없는 것입니다.

가래라는 것은 일종의 담음(痰飮)이 밖으로 표출되는 결과물입니다.

담음(痰飮)이란 가래처럼 찐득찐득한 노폐물을 떠올리시면 됩니다.

이는 음식의 소화되는 과정에서 발생한 노폐물, 찌꺼기에 해당합니다.

그럼 이 담음(痰飮)은 왜 옆에 누워있는 저 인간에게 많이 발생할까요?

담음(痰飮)이란 찌꺼기가 잘 발생하는 사람은요.

1. 야식, 폭식 등 음식 섭취가 불규칙한 사람이거나.

2. 담음(痰飮)을 잘 생성시키는 밀가루, 인스턴트 등을 많이 먹는 사람.

3. 명문화나 소화력 자체가 약한 사람이거나.

4. 스트레스나 울화병으로 간기범위 상황에서 비위가 제 기능을 못할 때.

크게 이 네 가지 요소가 담음을 유발하는 요인이 되겠습니다.

소화불량 원인과 다를 것 없죠? 한약이란, 하나를 이해하면 다 이해합니다.

이 요인들이 결합하면서 '담음'은 과도하게 발생할 수밖에 없습니다.

눈 밑에 다크써클이 심해질 것은 안 봐도 뻔한 상황.

소화력이 좋아 뭐든 잘 먹는 사람도 담음이 잘 생길 수 있고,

반대로 소화력이 약해 비실비실한 여성도 담음이 잘 생길 수 있겠죠?

그럼 이 담음(痰飮)으로 인해 고통을 받는 한 여성을 살펴봅시다.

이 여성은 타고난 소화불량형 인간입니다.

아주 괴롭겠죠? 조금만 폭식하거나 과식하면 어김없이 체하고 고통스럽죠.

나이가 들어, 먹고 싶은 것도 잘 못 먹고 살아갑니다. 제발 맛있는 것 한 번
만 제대로 먹어보는 것이 소원이 되었습니다. 최근 그 증상이 더욱 심해졌고,
그 후 수많은 병원에 갔으나, 별 소용없었습니다.

그래서 한방병원에 가니 이 근본 원인은 바로 '담적(痰積)'이라고 판명되어, 현재 4개월 동안 지속 치료를 받고 있다고 합니다.

'담적(痰積)'은 무엇입니까? 그 말 그대로 해석해봅시다.

담(痰)이 적(積), 쌓였다는 뜻이죠? 즉, 소화가 지속 불량하여 담음(痰飮)이 생성되고, 그 담음이 정체되고 쌓여서 시간이 흘러 적(積)이 되어버린 것을 바로 담적(痰積)이라 합니다.

담적이 있으면 비위의 활동이 제대로 이루어지지 않고, 무거워지겠죠?

찌꺼기가 정체되며 당연히 복부가 팽창되거나 딱딱할 수 있을 겁니다. 앞서 언급했던 물먹은 솜을 떠올려보세요. 담적은 물먹은 솜보다 더 무겁고 탁해진 상태라고 이해하시면 됩니다.

비위가 소화를 위해 제대로 움직이기도 힘든 상황이겠죠?

그럼 이 여성은 담적을 없애주면 다시 소화가 잘 될까요?

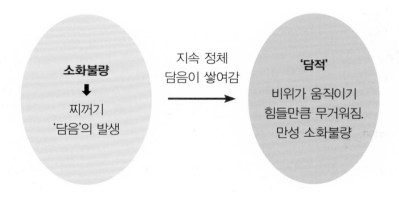

[그림 25]

:: 식 적(食積)

표(表)와 본(本)을
바라보는 눈.

앞서 소화가 안 되는 원인을 간단히 공부했습니다.

명문화, 간기범위, 비위허약, 식생활 불량 등이 있었습니다.

예를 들어, 위의 담적에 걸린 여성이 명문화가 매우 쇠약하다면?

담음(痰飮)이 남들보다 쉽게 발생하고, 담적이 된 비위는 무능해지겠죠?

그래서 담적을 없애준다면 소화에 많은 도움이 될 것입니다. 그러나 시간이 지나면 담적이란 증(症)이나, 소화불량, 트림과 신물, 다크써클 등은 또다시 발생할 것입니다.

담적이라는 것은 소화불량의 중요한 원인이나, 근본은 아닙니다.

담적이라는 것은 명문화 쇠약 등의 여러 원인들으로 인해 발생한 결과적인 상황으로, 이는 1차적 치료대상에 해당합니다. 즉 청소의 개념과 비슷하죠.

이러한 1차적 치료대상을 표(表)증이라 불러봅시다. '표증(表證)'

그럼 반대로 명문화를 보강하는 등의 근본치료는 '본(本)'이 됩니다.

1차 치료 표(表)		근본치료 본(本)
담적(痰積)	↔	명문화 보강, 스트레스
식적(食積)	↔	비위허약, 생활습관

담적이란 치료도 아주 중요합니다.

보통은 이렇게 담음(痰飮)을 없애주는 치료 개념도 없이 제산제나 소화제 복용하는 것이 일상이니까요. 허나 말입니다. 우리는 이보다도 한 단계 더 깊은 곳을 살펴볼 수 있어야 하겠죠?

참고로 여기서 담적이란 단어와 비슷한 단어가 있는데요.

그것은 바로 식적(食積)이 되겠습니다.

☯ 식적(食積)

음식이 쌓였다는 뜻이죠? 즉, 비위에서 소화가 제대로 안 된 음식찌꺼기가 정체되어 있다는 뜻입니다. 뭐 담적과 거의 오십보백보인 상황입니다.

이런 식적이 오래 지속되면 아마 담적도 될 수 있을 겁니다.

내시경에 보이지 않는다고 병이 없는 것이 아니죠?

이런 식적(食積)이나 담적(痰積)이 소화불량만 만들어내겠습니까?

앞에서 배웠듯, 이 하나로 인해 수많은 병을 만들어낼 것입니다.

가래 기침, 두통, 요통, 관절통, 피부 가려움, 손 저림, 과민성 대장 등.

그래서 이러한 식적이나 담적은 꼭 없애줘야 한답니다.

바로 식적, 담적 이러한 것들을 없애는 것이 1차적인 치료.

1차적 불균형을 해결한 뒤에는 근본적 불균형을 바로 잡아줘야 하는 것!

식적의 대표처방은 평위산 계열, 담적의 대표처방은 이진탕 계열입니다.

이런 처방들은 일상생활에서 수시로 필요한 처방들로, 우리 가정의 필수 상비약이 될 수밖에 없겠죠?

명문화는 약하고, 과도한 스트레스에 밤마다 폭식을 하는 사람이, 자신의 소화 불량 원인을 '위염'이나 '위궤양', 때문이라고 굳게 믿고 있다면, 그 사람은 어떤 약으로도 치료할 방법이 없는 것이고, 혹은 '담적'이 근본 원인이라며, 담적에만 집중하는 사람 역시 근본을 놓친 안타까운 노력만 지속하는 것입니다.

:: 1차 불균형 해소와 근본 불균형 해소

근본치료라는 것은,

☯ 평상시 소화를 잘 되게 유지하여 담음과 식적 등이 최대한 적게 발생하는 몸 상태로 만들어주는 것이 근본치료가 되는 것입니다.

바로 위에서 소화가 안 되는 원인 4가지를 떠올려 봅시다.

첫 번째,

명문화가 쇠약하여 소화가 불량한 사람에게는

명문화를 강하게 유지하는 한약처방이 해결책이 될 수도 있고,

두 번째,

근심, 걱정, 고민, 스트레스가 심한 사람에게는

간(肝)에서 소설이 실조된 상황을 해결해주고,

스트레스를 줄이는 것이 근본 해결책이 될 수도 있을 겁니다.

세 번째,

밤에 잦은 폭식, 인스턴트 밀가루 등을 즐기는 사람에게는, 식적과 담적을 제거하며 건강한 식생활을 유지하는 것이 근본 해결책이 될 것입니다.

네 번째,

비위 자체가 쇠약한 사람에게는 비위의 운동력을 높이는 처방이 좋은 해결책이 될 수 있을 겁니다.

이렇게 담음과 식적을 없애는 1차 처방과
위와 같이 불균형을 해결하는 근본적 처방을 잘 조합하는 것,
그리고 복용량과 순서를 잘 결정하는 것이 약을 잘 쓰는 방법.

담음(痰飮)과 식적(食積)이란 개념을 공부해봤습니다. 이들 모두는 비별청탁이나 승청강탁 같은 비위 기능들이 제대로 이루어지지 않았을 때 나타나는 결과적 산물로, 몸에 여러 병증을 유발하는 중요한 원인이 되겠습니다.

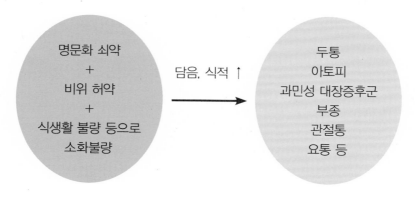

[그림 26]

일상생활에서 음식으로 인한 병은 필수적으로 발생합니다.

현대사회는 그 상황이 더욱 심각합니다. 그래서 식적이나 담음을 없애주는 과립제는 집에 상비약으로 구비하고 있어야 합니다. 특히, 음식에 상하기 쉬운 아이를 위해서는 '향사평위산' 같은 과립제는 현대사회의 필수 약이 됩니다.

음식을 많이 먹은 아이에게 향사평위산 한두 번 먹이는 노력이 뒷날 기침, 콧물, 비염, 아토피를 예방하는 큰 선물이 되고, 이런 작은 노력 하나로, 아이의 인생이 변화될 수 있음을 이해하여야 합니다.

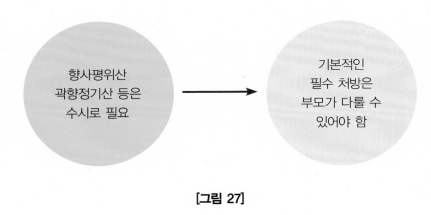

[그림 27]

호미로 막을 것을 가래로 막는 사람은 그만큼 불행한 것입니다.

우리의 공부를 위해서는 다른 책도 필요합니다.

군계일학(群鷄一鶴) 같은 멋진 의서를

우리 같이 찾아봅시다.

껍데기 같은 책들과는 그 근본이 다릅니다.

책이란 것도 사람의 인연(因緣)이나 똑같습니다.

Ⅳ_ 폐(肺)

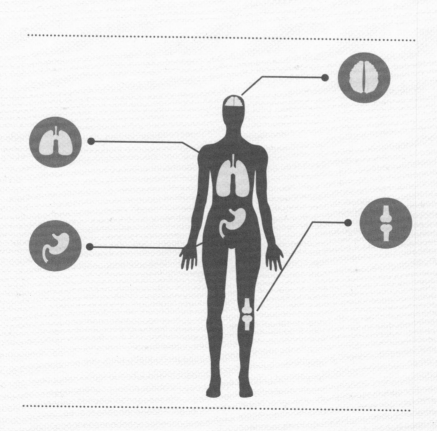

01.
선발숙강(宣發肅降)

☯ 선발숙강(宣發肅降)

선발숙강은 폐(肺)의 생리 기능을 나타내는 가장 중요한 개념입니다.
선발이란 뿌려주고, 퍼트려주는 것을 상상하시면 됩니다.
스프링클러처럼 전신에 물과 영양분을 뿌려주고,
기혈(氣血)도 퍼트려주고, 산소도 퍼트려줍니다.

반대로 숙강이란 아래로 내려주고 가라앉는 것을 상상하시면 됩니다.
쉽게 말하자면 숨을 내쉬는 것은 선발의 예고,
숨을 단전으로 들이쉬는 것은 숙강의 예가 됩니다.

폐에 불균형으로 선발이 안 되면 부종이 생길 수 있고,
숙강이 안 되면 호흡이 위로 떠오르므로, 기침이 날 수도 있고,
심하면 천식 같은 호흡곤란이나 구역질도 자주 날 수도 있을 겁니다.

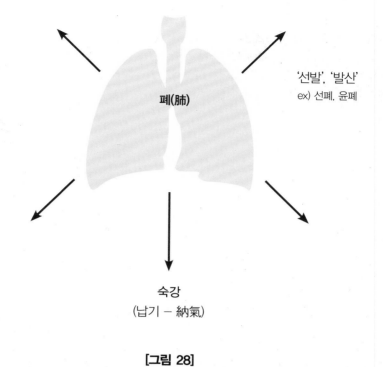

'선발', '발산'
ex) 선폐, 윤폐

폐(肺)

숙강

(납기 - 納氣)

[그림 28]

선발이란 폐의 기능 중 가장 대표적인 것이 바로 '선폐'가 됩니다.

:: 선 폐(宣肺)

선폐의 느낌을
상상해보세요.

선폐! 입문 편에서 공부했었죠?

선폐나 윤폐(潤肺)는 바로 선발 기능의 대표적 예가 됩니다.

폐(肺)는 공작새가 날개를 펴듯, 활짝 펼쳐져 있는 것을 좋아합니다.

폐는 야들야들~하게 활짝 펼쳐져서, 맑은 산소와 영양을 받아들입니다.

팬 피자의 아주 얇은 밀가루 반죽처럼 활짝 펼쳐봅시다.

폐는 이렇게 최대한 얇고 넓게 펼쳐져야 제 역할을 잘해낼 수 있습니다.

허나 그 특성상 큰 취약점이 있는데요. 폐는 바로 얇게 펼쳐진 밀가루반죽처럼 작은 충격에도 쉽게 상처를 입으며, 연약해지는 단점이 있답니다.

그러나 폐는 영양이나 산소 등을 잘 받아들이고 또 전달받은 물질들을 전신으로 잘 뿌려줘야 하는 기능이 핵심이기에, 그 표면적을 최대한 넓게 유지하여야 합니다.

☯ 이러한 상태를 바로 '선폐', '윤폐'라고 합니다.

이는 폐가 잘 펼쳐져, 폐의 기운이 잘 뻗어 나가는 상황을 의미.

허나 불행하게도 사람의 몸이란 외부 공격에 항상 노출되어 있습니다.

마치 운명의 장난처럼, 가장 예민하고 섬세한 폐는 오장육부 중, 외부 찬 공기나 먼지, 세균 등에 가장 1차적으로 노출되어 있는 장기입니다.

그럼 어떨까요? 폐는 항상 아름답게 펼쳐져 있고 싶지만, 세상과 주변에서는 그를 그렇게 쉽게 두지 않습니다. 찬바람에 공격을 당하든, 가을철 건조한 기운에 말라버리든, 여러 가지 원인으로 인해 폐는 쉽게 약해지고 움츠러들 수 있는 겁니다.

만약, 폐가 펼쳐지지 못하고 움츠러들게 된다면,

폐가 받아야 할 것 못 받고, 내보내야 할 것 잘 못 보내주게 됩니다.

이러한 폐의 불균형으로 인해 우리 몸에는 결과적으로 여러 가지 병(病)들이 나타나게 될 것입니다. 과연 어떤 병이 발생할까요?

:: 선폐가 실조되면?

선폐 작용이 제대로 이루어지지 않으면, 여러 가지 병들이 발생할 수 있을 겁니다. 그럼 재빨리 선폐의 불균형을 정상화시켜야겠죠?

그렇지 않으면 당장 호흡부터 곤란해질 겁니다. 활짝 펼쳐지지 못한 폐는 정상적인 호흡을 하기 위해 몸부림을 치게 됩니다. 폐를 펼치기 위한 우리 몸의 힘겨운 노력은 '기침' 같은 결과적인 현상으로 표출됩니다.

폐는 예민하기 때문에 여러 원인에 의해 불균형이 나타납니다.

폐가 외부 찬바람에 의해 움츠리거나,

화가 나서 뜨거워진 간(肝)의 열기 때문에 메마르게 되는 등

이러한 여러 이유로 인해 '선폐'라는 기능이 제대로 시행되지 않는다면,

결과적으로 사람과 상황에 따라

비염이나 코막힘이란 결과가 나타날 수도 있고,

폐렴(肺炎)이나 기관지염(氣管支炎)이 나타날 수도 있고,

그것이 오래되어 신장까지 약해진다면, 천식(喘息)도 발생할 수 있는 것.

갑자기 부모님이, 혹은 우리 아이가 기침을 한다면, 그 원인은 무엇일까?

'우리 아이 폐렴이 와서 기침하는데…'

'나는 알레르기 때문에 콧물, 기침하는데…'

'우리 부모님은 천식 때문에 기침한다는데…'

다른 사람들은 기침에 대해 이렇게 생각할 때,

여러분은 부모님이나 아이가 왜 기침을 하는지,

선폐가 실조된 이유를 파악하고, 여기에 관련된 처방도 공부하여 기침이나 천식은 별것도 아닌 병이 되도록 공부합시다.

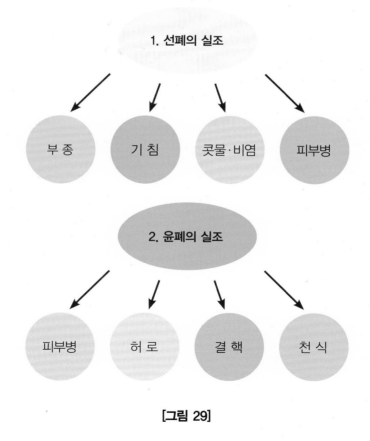

[그림 29]

:: 섬세하고 연약한 장기

폐는 쉽게
상처받는 장기.

한의학에서는 폐(肺)를 섬세한 여자와 같은 장기라고 말한답니다.
왜 폐를 섬세하고 연약한 예쁜 여자에 비유할까요?

겨울철 찬바람이 불면, 금세 추워서 움츠리는 하얗고 아름다운 여자.
그런 예쁜 여자랑 한 겨울날, 맞선을 보며 데이트를 하는 이모 씨,
그런데 이모 씨는 데이트비용이 아까워 레스토랑보다는 공원을 걸어 다니며
데이트를 했습니다. 여자는 몸이 떨리기 시작합니다. 콧물도 나네요.
그런데 이모 씨 왈(曰),
"사람은요. 이렇게 자연 바람을 맞으며 사는 것이 참~ 좋은 겁니다."

그날 이후, 하얀 살결의 아름다운 그 여성을 다시는 못 만났다는 이모 씨,
이제 여자에 대해 조금씩 이해하기 시작했습니다.

다음 소개팅,

이제 따뜻한 고급 레스토랑에서 예쁜 여성과 약속을 잡았습니다.

스테이크와 스파게티에 테이블이 꽉 차도록 코스요리를 시켰습니다.

그리고 맛있는 음식을 최대한 즐기도록 여성을 배려해주었습니다.

허나 평소 조금만 먹어도 금세 배가 부르던 상대 여성은 남자의 지속적인 '웃으며 음식 덜어주기 권법'에 못 이겨 고기 한두 개점 더 집어 먹다가, 결국은 그 용량이 오버(over) 되었습니다. 복통에 힘들기 시작합니다. 그래도 이모 씨는 상냥한 모습으로 맥주까지 권하고 있습니다.

이 아름다운 여성은 음식의 용량도 잘 배려하지 않고, 무식하게 착하기만 했던 이모 씨의 애프터(after) 신청을 거절하였습니다.

이제 이모 씨는 터프하고 박력 있게 나가기로 했습니다.

또 운 좋게 만난 소개팅의 아름다운 여성.

레스토랑에서 고기 한 점도 썰어주지 않았습니다.

민망하고 부끄럽던 여성은 그저 테이블만 바라보며 고기만 썰고 있습니다.

이모 씨는 웃지도 않고, 터프한 남성미로, 다리를 꼬고, 고개를 45도 위로 올린 후, 여성을 내려다보며, "꼬기…, 참~ 잘 드시네?"

… 착하고 예쁜 그 여성은 상처를 받고 그만 칼질을 멈추었습니다.

폐는 위의 아름다운 여성들과 비슷합니다.

오장 중 가장 섬세하고 연약하며, 상처를 쉽게 받습니다.

남자들한테 대하듯, 무식하게 대하면 금방 움츠려버릴 수 있습니다.

☯ 폐는 찬바람이 불면, 방광과 함께 가장 먼저 그 충격을 받아버립니다.

그럼 결과적으로 폐의 핵심 기능인 '선폐'가 실조되며, 기침이나 재채기를 할 수도 있고 정체된 수분이 콧물로 흘러나올 수도 있을 겁니다.

날씨가 건조하면 건조한 기운에도 금세 메말라 버리게 되고,
더우면 더운 열기에 금세 메마르고 약해지는 것이 바로 폐입니다.

음식을 많이 먹어 위장에서 음식을 다 소화시키지 못하면,
◉ 그 음식물 쓰레기가 섞으며 열(熱)을 내고, 그 열(熱)이 폐를 메마르게 하고, 폐는 결국 쭈글쭈글 움츠리게 됩니다. 그럼 또 기침을 해대겠죠?
우리 아이들을 보면 그날 육류나 밀가루를 많이 먹거나, 혹은 밥을 먹고 기침하는 경우 자주 볼 수 있다 했죠? 특히 오염된 음식이나 인스턴트, 찬 음식, 튀긴 음식으로 인해 잘 발생한답니다.

세 번째, 감정의 기복으로 화를 내거나 괴로워하면 어떻게 됩니까?
스트레스로 인해 화(火)가 나죠? 즉, 간(肝)에서 울화(鬱火)가 발생하게 되겠습니다.

◉ 이 화(火)는 또 그 위쪽에 연약한 폐를 화상 입혀버립니다.

그럼 폐는 또 위축되고, 움츠리겠죠? 스트레스로 인해 기침하는 사람도 참으로 많이 보입니다. 이런 폐의 불균형이 오래되면, '금생수'의 과정이 저하되면서 근본인 신장까지 약해지게 되므로, 결국 '윤폐'와 '납기기능'이 실조되어 천식 같은 만성 기침으로 진행된답니다.

이런 경우의 기침이나 천식에는 폐(肺)만 치료해서는 그 한계가 있겠죠?

한약처방도 마찬가지입니다. 만약 스트레스로 인한 간화가 폐를 공격하여 기침이 지속되는 상황에서, 만약 폐(肺)의 한사(寒邪)를 몰아내는 한약이 사용된다면, 그래도 기침약이라고 복용하였으니 기침이 줄어들게 될까요?

:: 한약과 양약의 차이

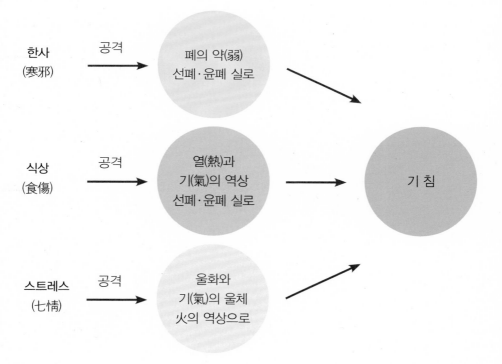

한사 (寒邪)	공격→	폐의 약(弱) 선폐·윤폐 실로	→	
식상 (食傷)	공격→	열(熱)과 기(氣)의 역상 선폐·윤폐 실로	→	기 침
스트레스 (七情)	공격→	울화와 기(氣)의 울체 火의 역상으로	→	

[그림 30]

이런 상황인데, 아이들 기침에 무조건 소염제, 항생제 복용시키는 모습을 보면, 얼마나 안타깝습니까? 여러분이 만약, 이럴 때 사용하는 처방까지 마스터했다면, 그런 아이에게 도움을 주고 싶으시겠죠?

원인에 적합하게 한약처방을 사용하면 그 효과는 굉장히 날카롭습니다.
만약, 한약 전공자가 한약은 양약보다 느리다고 말하는 것은 그저
"나는 공부를 안 했어요."라는 표현일 뿐.

예를 들면 급성으로 발생한 기침이나 감기, 두통, 두드러기, 편도염, 중이염, 요통 등의 여러 가지 병에 한약이 정확하게 적용되었다면, 그 병은 하루 이틀 만에도 완전 소멸될 수 있답니다. 한약처방이 제대로 적용되면 그 효과는 정말 칼처럼 날카롭습니다.

몸과 병의 원인에 따라 치료시기가 빠를 수도 있고, 느릴 수도 있을 뿐입니다. 한약이 양약보다 효과가 빠르다, 느리다를 논하는 개념 자체가 말이 안 되는 것입니다. 왜냐하면,

☯ 양약과 한약은 병과 몸에 대한 접근 방식이 완전히 다르기 때문입니다.
어떤 접근 방식일까요?

:: 한약의 본질

알레르기를
해결할 수 있는
핵심 키는?

한 남성이 병원에서 온갖 종류의 알레르기 검사를 하였는데,

비염 한약을 복용하는 중이라서 그런지 몰라도 알레르기 반응요소가 검출되지 않았습니다. 그래서 혹시, 한약에 히스타민 성분이 들었느냐고 물어보는 상황도 있을 수 있겠죠? 만약, 히스타민성분으로 비염, 알레르기를 해결할 수 있다면, 그 얼마나 간단하고 행복하겠습니까?

명문화라는 근본 에너지가 쇠약한 상태에서는 불특정 음식부터 작은 먼지까지, 세상 모든 것들이 나의 적(適)이 되어 알레르기 반응을 일으킬 수 있습니다. 이런 사람들이 병원에서 알레르기 검사한다고 예약하고, 사진 찍고, 검사 하고, 약 먹는 것도 중요하지만, 명문화의 보충 없이는 그저 안타까운 쳇바퀴만 도는 것입니다.

물론 일부 음식 등에만 반응하는 면역 이상 반응도 있습니다만,

여기서 말하는 대부분의 알레르기나 비염 등의 증상은,

☯ 명문화라는 근본이 쇠약해져 발생하는 것!

명문화가 쇠약하면 꽃가루, 일부 음식, 먼지뿐만 아니라, 이 세상의 모든 것들, 예를 들면 진드기 한 마리도 내게 큰 적군이 되는 상황입니다.

그 적은 약해진 내 몸을 침범하고, 내 몸은 결국 과민반응을 하게 됩니다.

그럼 이런 상황에서 누가 나에게 알레르기 반응을 일으키는지, 모든 물질에 대한 알레르기 검사를 다 해봐야 무슨 소용이 있을까요.

한약은 이러한 상황에서 우선 표면적 원인을 해결해주고, 그다음으로,

근본인 신장의 명문화를 보강해주어 알레르기를 근원적으로 최소화합니다.

히스타민은 며칠만 복용해도 가려움이 없어지는데, 폐의 위축을 정상화하고, 신장의 근본 에너지를 완충시켜주는 것은 하루 이틀 만에 이루어질 수 없을 겁니다. 이러한 이유로 인해 한약의 효능이 느리다고 느낄 수도 있습니다. 허나 이는 치료가 느린 것이 아니죠? 그리고 히스타민으로 알레르기의 근본 문제가 해결된 것이 아니라는 건 누구나 알고 있는 사실입니다. 그런 히스타민이나 스테로이드 같은 약들은 그 증상과 상황에 따라 필요가 있을 때 요긴하게 사용할 수 있는 중요수단이나, 명문화라는 개념과는 그 초점이 분명 다르죠?

허나 아이들 찬바람에 콧물이 줄줄 흐르기 시작할 때,

선폐시키는 소청룡탕에 오령산만 먹어도 대부분 하루면 콧물이 멈춥니다.

음식으로 오한 발열이 날 때, 향사평위산이면 하루 만에 열이 내려갑니다.

항생, 소염제로 애들이 병원에 다니며 고생하지 않아도 금방 회복됩니다.

☯ 한약과 양약은 병에 대한 접근방법이 다른 것입니다.

한약의 진정한 원리는 위와 같은 단순한 성분과 효능이 아닙니다.

이는 한약뿐만 아니라 사람도 마찬가지죠?

키, 몸무게, 혈액형, 출신학교, 사는 집 평수, 승용차의 종류 등으로 그 사람의 모든 것을 이해할 수 없습니다.

그 사람을 제대로 이해하기 위해서는 그분의 성격, 인품, 재능, 능력, 특성, 사상(思想), 자라온 가정환경 등이 더욱더 핵심이겠죠?

한약도 이와 마찬가지입니다.

여러 가지 약초가 만나서 하나의 팀을 이루고, 그 팀이 우리 몸의 어떠한 불균형을 해결해주는지, 그것을 이해하는 것이 한약학 공부의 핵심이 됩니다.

한약으로 몸의 근본인 명문화가 충만해지거나,

비위의 식적(食積)이나 담적(痰積) 등이 제거되거나,

폐에 침입했던 차가운 기운이 사라지게 되면,

알레르기 반응은 당연히 사라지는 겁니다.

그런데도 불구하고 어떤 사람이 왈(曰),

"한약재 중에 아마 히스타민 성분이 함유된 약초가 있었기 때문에 기존의 알레르기 증상이 좋아졌을 것이고, 그래서 알레르기 테스트가 나타나지 않는 것이다."라고 말한다면, 여러분은 그 사람에게 어떻게 대답하실 건가요?

:: 폐는 우리 몸의 총무

'금생수'를
이해하세요.

폐는 활짝 펼쳐진 상태를 유지하며, 산소를 받아들입니다.

폐는 이 산소를 혈액에 담아 전신으로 보내주는 역할을 합니다.

또한, 폐는 산소뿐만 아니라 영양물질도 전신으로 보내주는 역할을 합니다.

앞서 공부한 토생금(土生金), 금생수(金生水).

비위에서 생성된 영양분은 우리 몸에 필요한 곳으로 전달되기 위해 폐라는 분배기관으로 이동한다고 했습니다. 이렇게 비위의 청기(淸氣)가 폐로 전달되는 것을 '승청'이라고 했습니다.

토(土)	생(生)	금(金)
⇕	⇕	⇕
비위(脾胃)	승청(升淸)	폐(肺)

이렇게 영양을 전달받은 폐는 흡수된 맑은 산소를 영양분과 결합시키게 됩니다. 그리고 활혈된 혈액을 이끌고 전신으로 출발 준비를 하게 됩니다.

참고로 이렇게 폐에서 전신으로 영양 전달을 하려면 그것을 이동시키고 전달해주는 힘, 즉 기(氣)라는 동력이 있어야 합니다.

그 이동하는 기운(氣運)을 보강해주는 핵심 본초가 바로 인삼이 됩니다.

회사를 예를 들면, 월급을 분배하고, 필요한 곳에 자본을 투입하고, 돈을 관리하는 재정부나 총무 같은 역할을 수행한답니다. 그리고 폐는 신장이란 돼지저금통에 영양이라는 돈을 저장, 저축하기도 합니다.

그럼 이렇게 필요한 곳으로 영양분, 산소, 수분 등을 잘 수송, 분배해주기 위해서는 거기까지 연결된 도로나 통로가 있어야 하겠습니다.

그 길이 바로 경락(經絡)이 됩니다.

결론적으로 우리 몸을 통하는 모든 길은 폐와 연결되어 있고, 몸을 흐르는 기(氣)는 폐가 집합소가 됩니다.

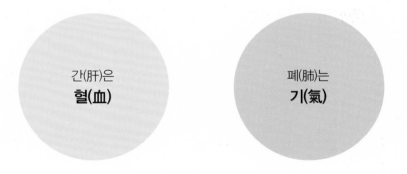

[그림 31]

☯ 간(肝)은 혈(血)이 휴식하고 집합하는 공간,

폐(肺)는 기(氣)가 대기하고 집합하는 공간이 됩니다.

지금 공부하는 폐(肺)와 간(肝)의 이러한 역할은 아주 중요합니다.

왜냐하면, 현대 사회에서 가장 흔하고도 가장 무서운 병(病),

암(癌)의 핵심적 원인은 바로 두 장부의 이런 생리기능과 아주 밀접한 연관

이 있기 때문입니다.

:: 암의 원인

암, 종양이란 결국 우리의 정상세포가 비정상으로 변해버린 상황,
정상세포가 왜 이렇게 비정상적 혐기성 세포로 변해버린 것일까요?

우리는 호수에 물이 오염되고 탁해지면, 기형적이고 혐오스러운 생명체가
나타나는 뉴스를 본 적이 있습니다. 맑은 산소가 부족하니 혐기성 생물이 자
라나기 시작하고, 정상적 생물들이 점차 기형으로 변해갑니다.

우리 몸의 조직도 이와 마찬가지입니다, 우리 세포는 항상 맑은 산소와 혈
액, 충분한 영양소가 잘 공급되어야 합니다. 이를 신진대사라고 합니다.

ATP로 대사부터 활혈 등 수많은 대사과정을 의미합니다.

☯ 맑은 산소, 맑은 혈액, 그리고 맑은 양질의 영양분.

이것들은 바로 암을 극복하기 위한 핵심적인 3요소가 되겠습니다.
그럼 이 세 요소를 한번 살펴보겠습니다.

첫 번째, 맑은 산소라는 것은 외부에서 받아들이는 청기(靑氣)를 뜻하죠?

이 공기 중에 중금속이나 미세먼지, 발암물질 등이 가득하다면 폐(肺)는 얼마 지나지 않아 암에 걸릴 수도 있을 겁니다.

폐가 하는 일 중, 가장 중요한 것이 바로 맑은 산소를 받아들여 비위에서 생성된 영양분과 결합하는 역할로, 이렇게 영양과 산소가 결합한 기운!

☯ 그렇게 폐에 모여 있는 기(氣)를 바로 종기(宗氣)라고 한답니다.

이렇게 폐(肺)는 비위(脾胃)에서 받은 영양분을 전신으로 전달시키기 전에, 영양분을 맑은 산소와 결합시키게 됩니다. 그리고 활혈된 혈액과 더불어 전신으로 출동하게 됩니다.

맑은 산소와 영양의 결합, 그리고 그 기혈(氣血)을 전신으로 전달!

이것이 바로 폐의 가장 중요한 역할이 되죠? 그런데 여기서 새롭게 태어난 혈액이란?

그것은 바로 간(肝)에서 활혈된 혈액을 의미하겠죠?

간(肝)에서 간장혈을 통해 충분한 활혈 과정을 거친 혈액!

죽지 않은 피, 정(精)으로 가득 차있는 맑고, 살아있는 혈액!

이것이 전신으로 잘 전달되어야 세포들이 정상적으로 살아갈 수 있는 것, 또한 각 조직 세포들이 신진대사를 거친 후 발생한 각 조직 세포들의 노폐물들을 잘 실어 보내주어야 세포들이 건강하게 유지될 수 있는 겁니다.

암이라는 것은 이러한 신진대사 과정이 실조되면서 나타난 정상세포의 변질로 이는 염증, 종양 등의 마지막 종착역이라 할 수 있겠습니다.

암이 발생하는 핵심 원인을 정리하자면,

첫째, 활혈의 부족으로 정(精)이 가득한 맑은 혈액의 부족.

둘째, 폐(肺)에서 맑은 산소와 영양 등의 미흡으로 종기생성의 불량.

셋째, 이러한 기혈순환의 저조와 근본 양기인 명문화의 쇠약.

이러한 기본적인 요소들이 실조되고, 그에 더하여,

체질, 유전적 요인과 환경오염 및 생활 불균형이 종합되면서 결국 자신의 취약한 장기에 암세포가 자라나게 되는 것입니다.

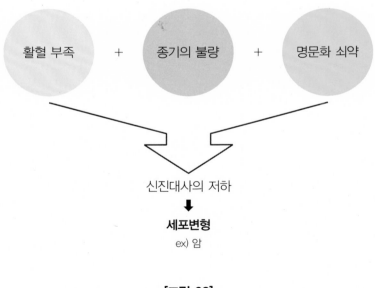

[그림 32]

그래서 체온을 상승시켜 건강을 회복하는 여러 수단이 암 치료에 많이 응용되는 것입니다. 예를 들면 온열요법이 있죠? 체온을 적당하게 상승시켜주면 기혈의 순환을 돕고 전반적인 신진대사가 왕성해지므로, 암을 극복하는 데 큰 도움이 되는 것입니다. 여기에 근본적인 원인인, 간(肝)의 활혈과 폐(肺)의 종기 형성, 그리고 가장 근본인 신장 에너지를 보강해준다면 어떨까요?

암이라는 것도 그렇게 두려운 병은 아닐 것입니다.

:: 암의 요소 3가지

병은 보이기 전에
해결하는 것.

그럼 암을 예방하기 위해 우리는 평상시에 어떻게 노력해야 할까요?

지난 시간에 배운 것을 응용해본다면, 첫 번째는?

😊 간(肝)에서 활혈 기능이 제대로 이루어지지 않은 원인은 무엇일까?

또한, 어떤 원인에 의해 폐(肺)에서 건강한 종기가 만들어지지 않을까?

이것만 알 수 있다면, 암에 걸릴 확률을 확 줄일 수 있을 겁니다.

"폐는 맑은 산소만 잘 공급해주고 비위에서 영양만 잘 만들어주면 되니까,

맑은 음식 잘 먹고, 맑은 공기 잘 마시고 잘 자면 암은 별것도 아니네."

자 이렇게 가정했다면, 아주 좋은 유추죠?

맑은 산소와 풍부한 영양, 그것이 폐에서 형성된 종기, 그리고 명문화.

이와 더불어 활혈이 잘 되는 요건까지 충족되고 기혈의 순환만 양호하게 이루어진다면, 암에 걸릴 확률을 지금보다 100분에 1 이하로 줄일 수도 있을 겁니다.

보기보다 암에 걸리지 않는 방법이 참 쉬운 것 같습니다.

그런데 말이 그렇지 이 세 가지를 지키는 것이 절대 간단한 일이 아닙니다. 그 이유를 이해하기 위해 최근 심각한 문제인 대기오염이나, 유전자변형음식, 혹은 현대사회의 각종 스트레스를 논할 필요도 없습니다. 왜냐하면, '활혈'이라는 단순한 생리기능조차도 잘 유지해나가기 힘든 것이 현대인의 삶이기 때문입니다.

이렇게 숙면이 부족한 현대인들의 삶은 활혈을 지속 실조시키고 있습니다. 그럼 두통이나 염증, 종양 등의 발생은 당연한 결과겠죠?

중요한 것은, 우리는 이러한 단순한 염증, 두통을 보고,
악성종양과 별반 다를 것이 없이 바라볼 수 있는 눈이 있어야 합니다.

"저렇게 살다가는 몇 년 뒤에 자궁에 혹이 생기고, 갑상샘, 유방에도 암이 생기겠는데…, 보완을 해줘야겠다." 이러한 유추가 아주 중요한 것입니다.

반대로 악성종양을 보고도 염증과 별반 다를 것 없이 바라볼 수 있는 눈이 필요합니다. 이런 면이 바로 한약을 제대로 공부하는 사람의 눈입니다.

:: 활혈이 어려운 이유

우선 암을 예방하기 위해서는 활혈된 맑은 혈액이 충만해야 했습니다.

간에서 '활혈'이 원활하기 위한 핵심적 요소는 바로 수면시간을 양호하게 유지하는 것이겠죠? 그 시간은 밤 10시에서 새벽 4시였습니다.

그런데 예를 들어, 스트레스나 업무 과다로 인해 수면시간 부족이 지속되면 활혈이 미흡하게 되고, 결국 이로 인해 우리 몸에는 각종 염증발생부터 두통, 탈모, 어지러움 등 여러 병증들이 나타나기 시작합니다.

또한, 간(肝)에서 '활혈'이 제대로 이루어지려면 숙면과 더불어 '소설 기능'도 원활하게 유지되어야 합니다. 잘 비워야 다시 잘 채우고, 잘 채워야 또 잘 나가죠? 이는 음양(陰陽)의 법칙이고 피드백이며, 상호 작용의 원리였습니다.

그런데 스트레스를 계속 받으면 소설이 제대로 이루어지지 않습니다.

소설이 실조되면, 활혈 기능도 실조되게 됩니다. 그럼 혈액은 결과적으로 새롭게 태어나지 못하고 쓸모없는 피, 죽은 혈액, 즉 어혈(瘀血)이 됩니다.

그 어혈이 자궁에도 쌓이고, 전신으로 쌓여서 신진대사가 불량해지니까, 결국 종양이 되고, 덩어리가 되는 것입니다.

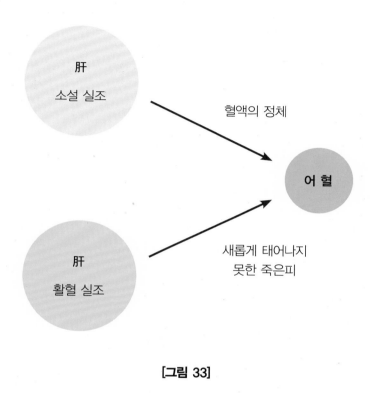

[그림 33]

마지막으로,

활혈이 충만하게 이루어지려면 재생 시 필요한 에너지가 공급되어야죠?

신장에서 정(精)을 충분히 공급해줘야 합니다. 그런데 우리가 인생을 살아가면서 귀중한 신정(腎精)을 항시 충만하게 유지할 수 있을까요?

불행하게도 육체를 가진 생명이라면 그건 절대 불가능한 일입니다.

생각하고 고민하면 눈과 뇌로 정(精)이 엄청나게 소모됩니다.

과로하고, 인스턴트를 먹으면 정(精)이 금세 고갈되기 마련입니다.

여자들은 출산할 때 신정(腎精)이 급속히 고갈되어 버립니다.

스트레스는 신정을 고갈시키는 핵심 요인입니다.

또한, 나이가 들면 자연스럽게 선천지정인 신정(腎精)이 줄어들게 되므로, 당연히 갱년기가 오고, 흰 머리가 생기고, 뼈가 약해지고, 생식 기능이 떨어지고, 노화와 각종 병이 찾아오게 됩니다.

결론적으로 신정(精)이 매일 충만하게 유지되는 사람은 세상에 없습니다.

세상에 늘 부족할 수밖에 없는 것이 바로 money인 것처럼,

우리가 늘 부족할 수밖에 없는 것이 바로 근본인 신장 에너지입니다.

활혈이 어려운 이유를 정리하면,

살아가면서 수면시간을 꾸준히 잘 지키는 것도 힘이 듭니다.

둘째, 어린아이로 평생 살아가는 것도 아니고, 인간은 누구나 스트레스를 받을 수밖에 없습니다. 그래서 소설의 실조는 누구나 피할 수 없습니다.

셋째, 나이가 들수록 근본인 신정(腎精)은 점점 더 쇠약해지기 때문에 활혈은 결국 미흡해질 수밖에 없고, 가장 중요한 수화지교 역시 실조되기 때문에 결과적으로 심화(心火)와 수기(水氣)는 내려가지 못하고 뇌(腦)로 상승하니, 수면의 질도 점차 불량해지는 것입니다.

이런 상황에서는 제대로 된 활혈을 기대하기는 무리수죠?

이렇게 우리 생명은 활혈, 단 하나도 완벽하게 해낼 수 없는 존재입니다.

모든 생명은 마음에 따른 생각과 욕망이 발생하기 때문에 아무런 갈등과 근심 걱정 없이 매일 밤 10시부터 6시까지, 숙면하며 살아가기는 힘든 것입니다.

또한, 여기에서 환경오염은 더욱더 심해지고 자연음식은 줄어들고 인스턴트에 방부제, 항생제, 성장호르몬 등이 넘치는 음식을 먹고 사니, 나이가 들어 암이 안 걸리는 사람보다 암 걸리는 사람이 훨씬 더 많아지는 겁니다.

아마 우리가 나이 들어 작정하고 검사하면 우리 대부분은 암세포가 발견될 수 있을 겁니다. 즉, 살다 보니 그저 모르고 살다가 그냥 발견 못 하고 죽는 경우도 아주 많을 겁니다.

생로병사가 생명의 숙명이듯 암(癌)부터, 고혈압, 뇌출혈, 심장마비 등 여러 가지 병들은 어쩌면 인간의 피할 수 없는 숙명처럼 느껴집니다.

그럼 이것을 최대한 극복해낼 방법은 없을까요?

:: 암을 예방하는 방법

한약은 우리 인생의
큰 버팀목.

자, 그럼 암을 예방하기 위해서는 어떻게 해야 할까요?

평소 암 예방에 아주 좋은 브로콜리와 토마토, 양파 등을 즐겨 먹습니다.

두 번째, 항산화 물질이 든 영양제를 매일매일 챙겨 먹습니다.

세 번째, 하루 한 시간씩 유산소 운동을 꾸준히 합니다.

네 번째, 흡연은 금지하고, 수면은 항상 깊게 하도록 노력합니다.

다섯 번째, 맑은 공기를 마시고, 탄 음식은 절대로 먹지 말며, 등산도 자주 합니다. 그리고 몸의 온도를 1도 높이기 위해 온열요법도 자주 하고, 생강도 자주 먹습니다. 그리고 암 종합검진을 매년 시행하고….

위의 내용들은 암의 예방과 치료에 아주 중요하고 필수적인 사항들이죠.

허나 우리는 인터넷 검색하면 다 나오는 이야기를 공부하기 위해, 이렇게 아까운 시간과 종이를 투자하고 있는 것이 아닐 겁니다.

우리는 몸의 중요한 원리를 이해하고, 그 기능을 잘 유지하기 위한 최선의 방법을 공부하고 있는 것입니다.

사람이 살다 보면,

스트레스도 받고, 불면이 생기고, 그래서 잠을 설칠 수도 있습니다.

그런 생활이 지속되면 활혈 기능이 아주 미흡하게 이루어질 수도 있습니다.

사람이 먹고살다 보면 밤늦게까지 야근하고, 직장동료 때문에, 상사 때문에, 손님 때문에 스트레스를 받으며 업무수행을 할 수도 있습니다.

여자는 출산이라는 과정에서도 근본인 신정(腎精)이 많이 고갈됩니다.

그럴 때에,

예를 들어 먹고 살려고 직장에서 새벽까지 스트레스받는 사람한테,

"업무 스트레스를 받지 마라."

"수시로 양파와 브로콜리, 포도를 먹어라."

"일찍 자고, 아침에 등산이라도 다녀라! 그렇게 살다가 어쩌려고, 쯧쯧….."

이렇게 말한다면, 이 사람에게 과연 뭘 어쩌라는 것일까요?

안타까움에 그런 것이지만, 특별한 방법도 없는 막연한 말 뿐입니다.

부자든, 가난한 사람이든 사람이 살아가는 것 자체가 다 그렇죠?

욕망과 먹고사는 문제를 초월한 사람은 극히 드뭅니다.

사람이라면 생로병사의 인생에서 스트레스를 받지 않을 수 없습니다.

그리고 누구나 브로콜리 좋은 줄 알고, 혈액순환을 돕는 생강이 좋은 것도 알고, 포도가 암에 좋은 것도 다 압니다. 허나 그러한 여러 방편들을 꾸준히 실천하는 것도 어렵습니다.

포도, 생강, 차가버섯, 상황버섯, 온열요법, 심지어 항암제나 수술까지, 모두 훌륭한 수단입니다. 허나 그러한 노력 속에서도 항상 기본이 되고 중요한 것은, 바로 몸의 근본을 보강해주는 것!

☯ 우리는 그래서 한약이란 훌륭한 무기를 응용할 수 있어야 합니다. 지금 여러분처럼 한약을 공부하는 지혜로움과 근기가 있어야 합니다.

"요 며칠 밤에 잠을 못 잤군. 오늘부터 며칠은 '활혈'을 해줘야겠어. 오늘 밤에 육미 20g과 사물탕 10g을 먹고 자는 것을 6일간 해야겠어."

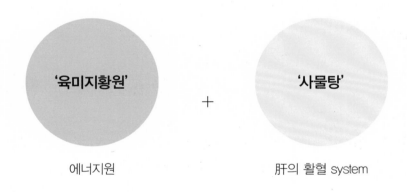

'육미지황원'	+	'사물탕'
에너지원		肝의 활혈 system

[그림 34] 활혈이란 몸의 생리 기능을 위한 기본 처방

신정(腎精)의 '육미'라는 처방.

활혈을 주도하는 '사물탕'이란 처방.

즉, 육미로 연료를 넣어주고, 사물탕이 움직이면서 활혈을 완성시키고!

바로 이것입니다.

이렇게 활혈을 시켜줄 수 있고, 명문화를 살려줄 수 있는 가장 강력한 수단은 지금으로서는 한약 이외에는 없기 때문에 한약을 공부해야 하는 것.

이렇게라도 수시로 보강을 해주면 우리 몸이 위험한 선을 넘지 않습니다.

몸이 피곤하고 허리가 아프고, 두통이 나타나고, 눈이 침침할 때, 몇 달이라도 적절한 보강이 이루어진다면, 뒷날 암이 올 확률을 확 떨어뜨릴 수 있는 겁니다. 그러한 여러 신호를 무시하고 뒷날 급할 상황에 닥쳤을 땐 그 노력이 수십 배, 수백 배가 들어가는 것은 누구나 아는 뻔한 이치.

만약, 이러한 노력에 더해 상황에 따른 여러 적절한 처방들을 더 운용할 수 있다면, 어떨까요? 예를 들어 육미에는 숙지황이 과해 걱정이라면 육미 대신 신정(腎精)보강의 명약인 '연년익수불로단'(延年益壽不老丹)을 응용해도 아주 훌륭한 노력이 되는 것입니다. 아마 당신의 남은 인생이 든든해질 것입니다.

이런 것이 바로 삶의 필수이고,

그 누구도 가지지 못한 든든한 무기이며,

그 어느 것과도 비교할 수 없는 우리만의 든든한 여유인 것입니다.

:: 심폐(心肺) 기능

겉모습은
참고사항일
뿐입니다.

다시 폐로 돌아가서, 폐가 건강하다는 것은 기본적으로 '선폐나 윤폐를 잘하고 있느냐?' 바로 이것입니다.

폐는 잘 보내고, 잘 받아들여야 합니다. 그래야 폐(肺)에서 산소와 영양을 잘 준비시키고 있다가 전신으로 적절히 분배하고, 신장이란 금고에 일정량 저축도 할 것입니다.

이 중요한 기능은 바로 심장과 폐의 힘이 협조하여 이루어집니다.
근본은 폐의 보내주는 힘이고, 그것에 더불어 심장의 박동이 더해집니다.

👁 이것이 대표적인 심폐(心肺) 기능이 됩니다.

만약, 이 기능이 약하면, 전신에 영양전달이 미흡하게 됩니다.
그럼 전신이 허해지고, 조금만 활동해도 쉽게 피곤해질 가능성이 큽니다.
조금만 뛰거나 무리해도 헉헉… 거리며 숨이 차는 저질 체력일 수 있습니다.

우리 폐는 섬세하며, 공작새처럼 자신의 기운을 전신으로 쫙 펼쳐 보이는 것을 좋아했습니다. 그 펼쳐진 기운을 따라서 영양분도 전달되고, 산소도 전달되고, 수분도 전달된다는 것.

이렇게 폐에 모이는 영양분은 비위에서 전달받았는데, 그럼

산소는 호흡으로 받고, 폐에 모이는 수분은 어디서 전달되나요?

☯ 폐는 표리(表裏)관계인 대장을 통해 흡수된 수분을 전달받습니다.

그렇게 전달받은 수분을 피부로, 코로 전신으로 적절히 전달해줍니다.

그런데 만약, 폐가 외부의 차가운 바람에 순간 화들짝 놀라면 어떨까요?

선폐가 실조되며 폐에 모인 수분이 제대로 전달되지 않게 됩니다.

폐의 수분이 수증기가 되어 피부로, 코로 배출되어야 하는데, 폐가 꽁꽁 얼어 선폐가 실조되니, 수분이 수증기로 변화되지 못했습니다.

그럼 기화되지 못한 수분이 그대로 배출되겠죠?

우리가 뒤에 공부할 비염이란 병증이 나타날 수 있겠습니다.

이렇게 비염과 같은 결과적인 상황이 병의 원인으로 인식되는 상황이라면, 건강한 삶을 유지하기가 점점 더 어려워질 것입니다.

:: 폐의 중요성

기관지, 코, 호흡, 기침, 피부. 이건 폐와 연관된 일부일 뿐입니다.
지금 비염, 기침, 천식 같은 증상들도 단순히 폐의 원인만은 아니죠?
예를 들면, 간에서 활혈이 미흡하면 나타날 수 있는 여러 증상들.
신장과 심장의 수화지교가 미흡하면 나타날 수 있는 여러 병증들.
비위가 허약했을 때 나타날 수 있는 여러 병증들.
이러한 오장의 기능 모두와 연관될 수 있습니다.

우리 몸의 영양성분을 전신에 분배해줘야 하는 중요한 기관에서 임무를 제
대로 수행하지 못한다면 다른 기관들은 도대체 어떻게 되겠습니까?
우선 가장 중요한 근본 에너지도 저축되지 못할 겁니다.

수시로 기침, 몸살 등 잔병이 발생함은 당연한 결과일 뿐입니다.
폐가 약해져 근본 에너지가 쇠약해진 상태라면, 콧물과 알레르기, 감기가
반복되는 것은 어쩌면 당연한 결과입니다.

폐가 튼튼해야 우리 몸의 1차 방어력이 강해집니다.

그래야 몸에 에너지가 잘 공급되고, 기운이 왕성할 수 있습니다.

허나 그것 역시 폐(肺) 혼자서 할 수 있는 일은 아닙니다.

그 방어력과 면역력을 유지하기 위해서는 폐(肺)의 1차 방어력과 더불어 아주 중요한 요소가 있답니다.

외부의 작은 공격에도, 찬바람에도 움츠리지 않게 하는 힘!

폐가 추워져서 콧물이 줄줄 흐르도록 놔두지 않는 파워!

그 파워는 대체 어디서 나올까요? 그게 누군지 아주 중요합니다.

폐
(肺)

↓

1차 방어력 = 면역력의 최전선 = '위기(衛氣)'

신
(腎)

↓

근본 방어력 = 면역력의 근본 = '신정'과 '명문화'

[그림 35]

02. 기화(氣化)

물이 수증기가 되는 것, 기화(氣化).
 어릴 적 과학 시간, 기화(氣化)라고 배웠던 기억이 납니다.

우리 몸속에서도 이런 기화(氣化)가 잘 이루어져야 합니다.
우리 몸의 기화란 주로 몸의 수분이 수증기가 되는 과정을 의미합니다.
이러한 몸속 기화라는 것은 어디서 발생하며, 왜 중요하다고 말할까요?

당신 입으로 수분이 들어옵니다.
수분이 목구멍을 타고 내려와 비위(脾胃)를 거치고, 대장으로 내려갑니다.
그 수분은 대장에서 많이 흡수되는데요. 수분이 대장에서 흡수되면,
 그다음 목적지는 바로 폐(肺)가 되었죠? 입문 편에서 대장과 폐는 서로 표리
(表裏)관계라고 공부했고, 대장과 폐는 밀접한 관련이 있었습니다.

대장에서 흡수한 수분이 폐(肺)에 모였습니다. 이제 폐는 앞서 배웠듯,
수분을 전신에 흘려보내고 뿌려주는 역할을 담당하게 되는 것입니다.

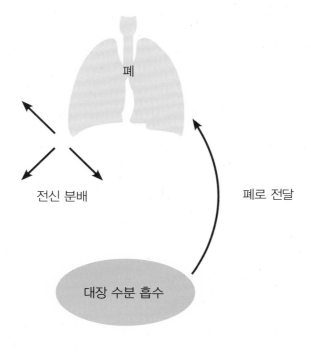

[그림 36]

이렇게 폐에서 받아들인 수분들은 전신으로 분배됩니다.
그리고 이와 동시에 폐의 수분은 수증기로도 변하기 시작합니다.
액체에서 수증기로의 변화, 즉 이 과정이 바로 기화 작용이죠?

겨울에 호~하면 입에서 김이 나오는 것처럼, 기화된 수증기는 호흡으로 배
출됩니다. 또한, 수증기는 앞에서 배운 '선폐'의 힘에 의존해 피부 끝까지 뻗어
나간 후, 땀구멍을 통해서도 배출되는 것입니다.

우리 몸속 기화(氣化) 작용이란 바로 이 과정을 의미한답니다.

☯ 폐의 수분이 수증기로 변화하는 과정이 기화!

물론 폐의 수분은 호흡뿐만 아니라, 몸 전신, 곳곳에 분배됩니다.

이렇게 전신으로 분배되는 수분은 각 조직에서 신진대사를 거치면서, 탁한 물질과 교류될 것입니다. 그리고 마지막으로는 신장과 방광으로 흘러들어가 소변으로 배출될 것입니다. 그럼 정리해봅시다.

첫 번째, 몸에 들어온 수분이 대장에서 흡수되고,

흡수된 수분은 대장과 표리관계인, 폐(肺)라는 총무부로 전해집니다.

두 번째, 폐에 모인 수분은

기화 작용을 거쳐, 입과 코, 피부로 배출되는 호흡이란 과정과

우리 몸 곳곳으로 분배되는 과정으로 나누게 됩니다.

수분이 전신으로 분배되는 과정은 결국 몸에서 신진대사를 거치고 난 뒤, 신장, 방광에서 여과 배출되는 것으로 마무리.

어허…, 그런데 이렇게 중요한 폐가 여리고 섬세한 친구라고 했습니다.

가을이 오며 날씨가 선선해지니 또 우리의 폐는 금세 춥다고 벌벌 떨고 움 츠러버리는군요. 이렇게 폐가 약해지게 되면 호흡과 수분 분배과정에 장애가 발생하게 됩니다.

수분이 정체되니까 부종도 생길 수 있고, 콧물이나 재채기가 발생할 수도 있을 겁니다. 그럼 우리는 추워서 움츠리고 있는 폐를 위해서 무엇을 해줘야 할까요. 따뜻한 보일러라도 구해줄까요?

:: 콧물(비염)

기화 에너지가
비염 예방의 핵심.

수분을 처리해주는 폐(肺)가 찬 기운에 공격을 받고 이렇게 움츠러들어 떨고 있으니, 우리 몸은 이제 어떻게 될까 고민해봅시다.

폐의 수분들은 기화시키고, 전신으로 뿌려 배출시켜야 하나,
'기화'하고 '선폐' 시켜주는 폐의 기능에 장애가 생겨버렸네요.
그래서 폐의 수분은 정체되고, 서서히 주변으로 넘치게 됩니다.

코에서 수증기로 나와야 하는 수분이 '기화와 선폐의 작용'을 거치지 않고, 액체인 수분이 그대로 흘러나와 콧속의 정상적 습도와 환경을 유지할 수 없습니다. 축축하고 탁해진 콧속은 그 위생환경이 아주 불량해지겠습니다. 허나 그것이 핵심적인 비염의 원인은 아니죠?
그저 약을 사용하는데, 참고할 여러 자료 중의 하나일 뿐입니다.

☯ 중요한 것은, 기화 실조로 선폐가 실조된 원인으로 콧물이 나는 것!

[그림 37]

찬바람으로 인해 폐의 선폐 작용 하나가 무너졌을 뿐인데, 콧물이 흐르고 알레르기에 재채기, 부비동염 등도 나타나게 됩니다.

그럼 이런 사람에게 기화 작용이 잘 이루어지도록 도와준다면,

그리고 폐의 움츠림을 회복시켜줘서 '선폐' 기능을 회복한다면,

콧물이 줄줄 흐르는 것과 알레르기의 원인이 최소화될 수 있을 겁니다.

☯ 선폐와 기화 작용. 두 가지가 비염치료의 핵심입니다.

:: 기화(氣化) 에너지

기화(氣化) 에너지는 어디서 공급받을까?

선폐라는 중요한 기능이 있다면, 그것에 적용되는 약초도 있겠죠?

선폐를 지켜주는 대표적인 약초가 바로 마황이라는 약초입니다.

다이어트 독약이라며 뉴스에 그렇게 많이 나온 마황….

이 마황은 선폐의 핵심 본초가 됩니다. 그래서 콧물감기에 자주 사용되는 한약처방들, 예를 들면 '소청룡탕', '갈근탕천궁신이' 등의 핵심약초에는 모두 마황이 포함되어 있습니다. 움츠린 폐를 펼쳐 선폐 기능을 정상화하기 위해서는 바로 마황이 명약이 됩니다.

그럼 기화 작용을 회복하기 위해서는 무엇이 필요할까요?

액체가 수증기로 증발하려면 무엇이 가장 필요합니까?

액체가 기체로 되려면 열(熱), 바로 폐에 모인 수분을 수증기로 바꿀 수 있는 열에너지가 필요합니다. 즉, 가스레인지나 보일러같이 열(熱)에너지를 제공해줄 수 있는 에너지원이 있어야 기화가 가능할 것입니다.

그럼 좀 더 깊이 생각해볼까요?

외부 찬바람이 공격하여 폐가 꽁꽁 얼지 않아도, 몸속의 보일러가 너무나 쇠약한 사람은 약간만 추워도, 자동으로 콧물이 날 수 있습니다.

다른 사람은 이 정도 추위에 콧물을 흘리지도 않고, 생활에도 큰 지장을 주지도 않지만, 몸의 가스레인지나 보일러가 쇠약해진 사람에게는 평범한 추위에도 콧물, 눈물이 줄줄 흐를 수 있다는 겁니다.

만성 비염, 즉 환절기마다 수시로 콧물을 흘리고, 재채기를 하는 사람은 몸의 보일러 기능을 튼튼히 유지시켜주지 않으면 평생 알레르기, 비염을 달고 살아가야 하는 것입니다. 중요한 개념입니다. 우리 몸의 보일러!

폐에 파워를 공급해주는 개념이 그것이 바로 이 보일러를 의미합니다.

그 보일러가 기화를 시켜주는 열에너지를 제공합니다.

폐의 수분을 기화시켜주는 에너지원, 이 중요한 보일러는 과연 누굴까요?

:: 명문화

기화는
명문화가 근본.

또 나왔습니다. 명문화, 앞에 심장 편에서도 명문화를 공부했었습니다.
우리 몸의 근본적 양기(陽氣), 보일러의 역할을 해주는 것은
그것은 바로 이 명문화!

🌀 이 명문화가 바로 우리 몸의 기화 에너지를 제공해주는 원천이 됩니다.
명문화는 신장의 양(陽)으로, 즉 신양(腎陽)이라 합니다.

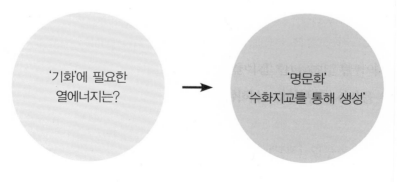

'기화'에 필요한
열에너지는?

→

'명문화'
'수화지교를 통해 생성'

[그림 38]

폐가 움츠러들어 콧물이 줄줄 흐르지 않게 하려면 선폐도 중요하겠지만, 근본적으로는 수분을 수증기로 변화시킬 수 있는 열(熱)에너지!

비염정복을 위해서는 바로 기화를 할 수 있는 근원인 이 명문화를 튼튼히 유지시켜줘야 하는 것입니다. 명문화가 약한 사람은 마치 라면을 끓이려다 가스가 부족해서 라면이 끓지 않는, 그런 애처로운 상황 속에서 평생을 살아갈 수밖에 없는 것입니다.

이 사람의 애처로움이란 수없이 많은 병들과 고통을 의미하는 것!

비염? 장염? 갑상샘저하? 만성피로? 소화불량? 아토피? 요통? 고혈압?

우리 몸의 수많은 병이 이와 연관될 수 있습니다.

☯ 명문화가 강한 사람은 찬바람, 먼지, 세균에 쉽게 무너지지 않습니다.

그가 가진 근본 생명력과 방어력이 아주 튼튼하게 때문입니다.

명문화가 쇠약한 사람은 찬바람에 진드기 한 마리가 코에 들어와도 과민반응을 합니다. 왜냐하면, 그가 가진 근본 생명력, 방어력이 아주 약하기 때문입니다. 들어오면 막을 자신이 없기 때문에 눈물, 콧물을 팍팍 분비하며 과잉반응을 보이는 것입니다.

가진 것이 부족하기에 자신감도 없습니다.

통장에 잔고가 없으면, 지갑에 돈이 없으면 어디를 가도 불안하고 자신이 없습니다. 다른 사람에게는 아무렇지 않은 세균, 바이러스, 찬바람 등이 자신에게는 큰 부담으로 다가오는 상황입니다. 조그마한 공격과 충격에도 몸의 균형은 쉽게 무너져버리게 됩니다.

이러한 몸의 생리·병리가 중요한 것입니다.

☯ 여기서 가장 중요한 것은 '기화'라는 것과 '명문화'의 역할.

신장의 양(陽), 명문화의 중요성.
신장의 음(陰), 신정(腎精)의 중요성.

[그림 39]

:: 음식에 체하고, 콧물이?

콩팥기능은
신장기능의 일부.

어린이들 중 음식에 체해서 감기처럼 열이 나고,

그러다가 기침, 설사를 하고 콧물까지 줄줄 흐르는 경우가 많습니다.

이렇게 안과 밖이 동시에 병드는 것을 바로 입문 편에서 '내상외감'이라고

공부했습니다.

아이들 병의 원인 중 상당 부분이 이러한 '내상외감'입니다.

왜 아이들은 내상외감의 형태로 발병이 자주 나타나는지,

좀 잘못 먹은 걸로 인해서 왜 기침을 하고, 콧물이 나는 것인가,

이런 상황을 고민하고 그 원인을 이해하는 것이 공부의 핵심입니다.

복잡하고, 어려운 처방을 많이 공부한다고 쉽게 실력이 늘지 않습니다.

심한 감기 후에 입맛을 잃어버리는 사람은 왜 그럴까요?

월경 전후에 잘 체하는 사람은 왜 그럴까요?

그렇게 체하고 난 뒤 콧물, 기침이 나는 사람은 또 왜 그럴까요?

원리 하나를 파악하면 많은 것이 보입니다.

그 중요한 원리를 이해하기 위해 이제 우리는 오장 육부 중

가장 근본이고 핵심인 신장(腎臟)에 대해 공부할 시간이 되었습니다.

신장을 우리가 과학 시간에 배운 단순한 콩팥, kidney의 개념이라고 이해
하시면 공부가 곤란합니다. kidney의 개념도 신장기능의 일부라고 이해하시
면 된답니다.

☯ 신장은 우리 집의 총재산이나 통장의 잔고처럼 아주 중요하게 바라보아
야 할 대상이랍니다.

집에 돈이 바닥난 상태로 생활을 지속한다면, 과연 그 생활은 어찌 될지 상
상해보세요. 고물 보일러 단 하나가 고장 난다 해도, 가진 돈이 없으니 수리
도 못 하고 그저 냉골에서 벌벌 떨며 살아가야 하는 처지가 될 것입니다.

이러한 우리 삶이나, 몸이나 그 원리는 똑같습니다.

이제 아주 중요한 장기, 선천지관인 신장으로 넘어갑시다.

어떤 남자가 도박에 빠져 산다면,

그와 가정의 미래는 누구나 예측할 수 있듯,

우리 몸의 병(病)이라는 것도 우리의 삶과 비슷합니다.

현명한 사람은

병이 눈에 보이지 않을 때, 미리 그것을 예측하며,

보통의 사람은 병이 나타난 후에야 노력합니다.

허나 그것보다 더 안타까운 상황은,

눈에 보이는 병명과 증상에만 끌려다니는 것입니다.

몸의 불균형이 이미 우리 눈에 표출되었을 때는

바로잡기 위한 그 노력이 몇 배나 커질 수밖에 없습니다.

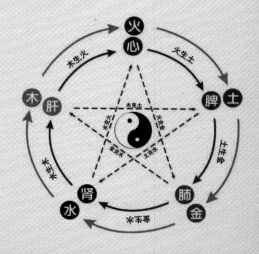

V_ 신(腎)

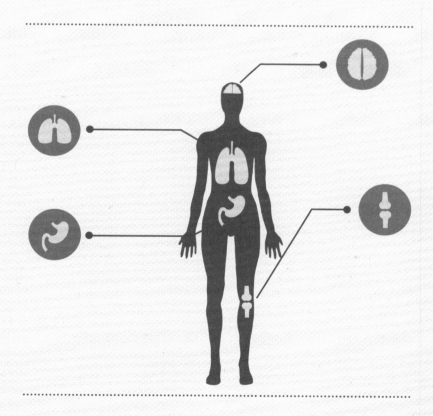

01.
명문화(命門火)

이제 오장육부의 마지막 시간, 신장 편입니다.
지금까지의 우리 노력은 뒷날 공부를 위한 중요한 기초가 될 것이고, 지금 시작하는 신장에 대한 공부는 기초 편의 핵심이 됩니다.

인간은 생명의 불꽃을 피우며 살아갑니다.
이 근원의 불꽃이 꺼지는 순간, 우리의 생명도 꺼지게 됩니다.
마치 성냥개비를 켜면 왕성하게 불꽃을 내뿜다가 시간이 지나며 차츰차츰 꺼져버리는 불꽃의 삶처럼, 생명의 불꽃도 나이가 들수록 흔들리고 약해지다가 서서히 꺼져버리게 됩니다.

이러한 근본 생명력의 불꽃이 바로 명문화입니다.
다른 말로는 신장의 양기(陽氣), 혹은 진양(眞陽)이라고 합니다.
스테미너나 혹은 정력이라는 의미, 혹은 우리 몸의 면역력, 방어력,
근본 원기(元氣)라는 것, 이 모든 것이 명문화의 개념에 포함된답니다.

명 문 화

[그림 40]

20대의 불꽃과 60대의 불꽃은 아주 많이 차이가 납니다.

60대에 20대 때의 불꽃을 그리워하여, 비아그라 같은 약물을 과하게 이용
하다가는 몸이 그 욕망에 따라가지 못하여 심장마비 걸리기 십상입니다.

아궁이의 불이 있으면 그것을 유지하기 위해에는 나무와 숯이 있고,

촛불이 켜져 있으면 그 근본에는 양초가 존재하고 있으며,

가스레인지의 불을 유지하기 위해서는 가스가 있습니다.

쇠약한 노인에게 비아그라가 위험한 이유는,

노인의 몸은 마치 아궁이에 꺼져가는 불처럼 숯은 거의 남지 않은 상태로 근근이 생명을 연장하는 모습입니다. 그런데 만약, 그 빈약한 아궁이에 강제로 강한 바람을 불어주고, 석유도 확 뿌려버린다면 어떻게 될까요?

아마 마지막 남은 미약한 숯까지 활활 타올라 버리고, 생명의 불은 그만 꺼져버리게 될 것입니다. 이렇게 남은 목숨까지 장렬히 단축시키는 안타까움이 바로 약물로 인한 심장마비 혹은 복상사가 되겠습니다.

이러한 행위는 결국 심장마비 등의 안타까운 결과로 돌아올 뿐,

중요한 것은, 불꽃을 최대한 유지하려면 숯을 같이 넣어줘야 합니다.

숯을 넣어줘야 다시 불꽃이 살아나고 생명의 불꽃을 유지할 수 있습니다.

이러한 아궁이의 숯의 개념이 바로 신장의 음(陰)이 됩니다.

신음(腎陰), 즉 신정(腎精)의 개념입니다.

☯ 숯을 넣어서 불꽃을 살리는 것은,

신정(腎精)이 충만해져서 수화지교가 되살아나는 형상.

수화지교는 신장의 음(陰)이 충만해야 가능합니다.

이 수화지교를 통해 신양(腎陽)인 명문화가 생성된다고 공부했습니다.

수화지교가 우리 몸을 유지하는 가장 핵심적이고 기본적 시스템임을 다시 한번 말씀드립니다.

:: 정력

스테미너에 좋다고 하여 한 때는 야관문, 음양곽, 산수유가 유행하고,
어떤 때는 물개의 성기가 좋다고, 해구신을 불법 복용하는 사람도 있었죠.

해구신, 산수유, 음양곽 등, 이 본초(本草)들의 공통 효과는 무엇일까요?
이들의 가장 큰 공통점은 바로 우리 몸의 신장 에너지를 보강하는 것이고,
신장 에너지를 보강하는 것은 사람의 생식능력 향상으로 직결됩니다.
우리의 생식능력은 흔하게 정력, 스테미너 등으로 표현됩니다.

☯ 신장보강 → 생식, 정력의 향상

이것은 남녀나 동물 모두에게 해당하는 사항입니다.
정력과 스테미너란 앞서 배운 명문화와 신정(腎精)의 범위에 포함됩니다.
입문 편에서 음양곽을 먹던 수컷 양 이야기 기억나시는지요. 수많은 암컷을
거느릴 수 있는 그 힘을 바로 음양곽이란 약초로 유지하였었죠? 음양곽은 스
테미너 음식인 마늘처럼 명문화에 직접 작용하는 약초가 되겠습니다.

명문화가 약한 여성은 당연히 자궁이 허약하고 차갑습니다.

자궁이 차고 허약하니 임신이 쉽게 이루어지지 않습니다.

이런 여성은 아기집에 보일러가 제대로 작동하지 않는 상황입니다.

한겨울 추운 집에서 아기가 잘 자라는 것이 오히려 기적적인 일이겠죠.

ex) 심장이 작은 편인 소음인

심화(心火)가 적음 → 명문화도 쇠약

↓

근본인 명문화의 부족으로 자궁도 냉함

→ 잉태에 장애

[그림 41]

물개 성기인 해구신, 누렁이 성기인 황구신 등은 본초의 부위와 그 효능이 일치하는 대표적인 약초들로, 이들 역시 신장 에너지를 보강해줍니다. 허나 시중에서 흔히 구할 수 있는 약초가 해구신의 효능과 크게 차이가 나지 않는 다면, 어떻겠습니까?

굳이 해구신을 불법으로 매매하고 복용할 일이 없을 겁니다.

뭐 물개가 넘쳐나서 가격도 저렴하고, 수출입이 불법도 아니라면 해구신을 복용하는 것도 좋을 수 있으나, 굳이 거액을 주면서까지 그것을 찾을 필요가 있을까요? 명문화 보강을 위한 방법은 해구신 외에도 많으니까요.

어떤 사람에게는 해구신보다 수십 배 저렴한 구기자가 훨씬 도움이 될 수 있겠죠? 몸의 원리를 모르고 소문, 마케팅에 휩쓸리는 것뿐입니다.

이러한 명문화의 불꽃은 나이가 들며 서서히 꺼져갑니다.

그리고 우리의 생식능력, 생명력, 스테미너도 서서히 사라집니다.

심장과 신장이 급격히 약해지는 시기에 여성은 폐경이 오고, 여러 증상이 나타납니다. 우리는 그것을 갱년기라 부릅니다.

그럼 이럴 때 신정과 명문화의 보강은 마른 나무에 물을 주는 것처럼 한줄기의 생명수와 같습니다. 그러나 되도록,

🌑 신정(腎精)이란 것은 어릴 때부터, 지속 보충해주는 것이 핵심!

그 시기는 빠르면 빠를수록 좋습니다.

그래서 명문화가 평소 충만하게 유지되어 몸의 불균형이 최소화되도록 유지하는 것이 바로 건강유지의 핵심이 됩니다.

비싼 암보험이 신정(腎精)과 명문화를 보강해주지는 않습니다.

이것을 알고 시행하는 사람과 모르고 늙어가는 사람의 차이는 뒷날 매우 크게 나타날 것입니다.

암이나 뇌출혈이 발생하느냐, 호상(好喪) 하느냐?

뇌수가 메말라 치매가 올 것인가, 다행히 건망증 정도로 넘어갈 것인가?

디스크 수술을 하느냐, 약간의 요통으로 인생이 무난하게 넘어가느냐?

이러한 수많은 상황들이 그 예가 될 것입니다.

단순히 이 약초 먹고 정력이 좋아지고, 갱년기에 도움되고, 못 참던 소변을 잘 참는 등 이러한 단순한 효능과 논리에만 빠져버리면 절대 건강을 지켜낼 수 없습니다.

지금 당신의 노력처럼, 제대로 공부해야 합니다.

건강을 지켜나가는 '최소한의 방법'은, 그렇게 복잡하지 않습니다.

여러 민간요법과 약초들도 아주아주 훌륭합니다. 허나 그것도 몸을 제대로 이해하고, 사용하는 사람에게는 큰 도움이 될 수 있지만, 그저 유행에 따라 따라 하는 사람에게는 큰 도움이 안 될 것입니다. 또한, 현대사회는 약초나 민간요법 등을 중시했던 예전과는 달리 생활의 여건이 너무나 좋아졌습니다.

한번 예를 들어볼까요?

:: 사회는 발전하는 것

한약을 안다는 것은
최고의
행복입니다.

옛날 조선 시대는 서민들이 아파도 약초 하나 제대로 구하기 힘든 시절…,
그 시절에 시골의 한 가난한 노인 왈(曰),
"소변이 잘 나오지 않고, 힘이 듭니다. 소변을 못 참아 바지에 쌀 때면, 우물에 빠지고 싶을 정도입니다. 선생님! 도와주세요. 제가 뭘 먹으면 좋을까요? 어찌하면 좋을까요?"

이렇게 물었을 때,
"어르신, 산에서 차전초 구하셔서 꾸준히 물처럼 드시면 좋을 겁니다."
"네, 어머님! 들에 있는 익모초를 꾸준히 드시면 생리통에 좋습니다."
이러한 설명이 최선이고 대부분인 것입니다.

그런데 만약에, 아래와 같이 설명해볼까요?
"네, 근본 양기를 보강하는 '팔미지황환'에 '저령탕'이란 처방을 더해서 6개월 복용하시고, 복분자, 차전자, 토사자, 구기자, 오미자 등의 오자환을 구해서 꾸준히 드시면 좋아질 것입니다."

"네. 지금 따님의 생리통에는 당귀, 천궁, 지황, 작약, 애엽, 아교 등의 궁귀교애탕을 각 몇 그램씩 구해서 …(생략)… 그리고 숙지황, 산수유, 산약, 목단피, 복령, 택사, 부자를 320… 160… 등을 구해서 두 달을 달여 드세요.

처방으로는 궁귀교애탕, 팔미, 안중산 등이 있는데…(생략)."

이런 설명, 어떻습니까?

팔미지황환은 고사하고, 약초 하나도 꾸준히 구해 먹기 힘든 시절,

쌀밥도 제대로 못 먹고, 홍삼은 귀족이나 상류층을 제외하고는 평생 구경도 할 수 없던 시절입니다. 지금처럼 홍삼, 인삼을 어디서는 쉽게 구할 수 있는 사회와는 너무나 다른 세상이었습니다.

그런 상황에서 명문화를 열변하고 처방을 소개해봤자 서민들이 뭘 어찌하겠습니까? 위 내용은 훌륭하지만, 그것은 저 어르신을 그저 멍~하게 만드는 설명일 뿐입니다. 우리 불쌍한 할아버지에게 도대체 뭐 어떻게 하라고 저런 설명을 하겠습니까? 상황에 맞추어 어쩔 수 없이 주변에서라도 최대한 쉽게 구할 수 있는 약초 중, 가장 적합한 약초를 설명해 드릴 수밖에 없었을 겁니다.

또한, 지금처럼 대부분의 사람들이 글 배우고 공부하는 것 자체가 힘들었을 것이고, 그 비전을 다른 사람에게 쉽게 공개해주지도 않았을 겁니다.

혹여 그 옛날 악조건 속에서 공부를 해냈다고 가정해봅시다.

그래서 팔미가 명문화를 보강해주는 것을 이해하고,

홍삼이 위기(衛氣)의 보강에 좋은 것을 알았다고 해서,

그 약들을 쉽게 구할 수도 없는 세상이었습니다.

허나 현대사회는 다릅니다. 의지만 있다면 지금처럼 공부도 쉽게 할 수 있고, 팔미 같은 처방이나 홍삼 같은 약초는 주변에서 흔히 구할 수 있습니다.

그리고 지금같이 의식주가 풍요롭고 살기 좋은 현대사회에서는 굳이 저런 약초 타령만 할 필요는 없을 겁니다. 훌륭하고 멋진 한약처방들이 주변에 수두룩하게 있습니다. 옛날에 차전초 구해서 달여 먹는 노력보다도 훨씬 작은 노력이면 수많은 명약을 집에 상비해놓고 지낼 수 있습니다.

그 바탕에 여러 건강식품과 약초를 응용하는 것이 현명하겠죠?

우리는 역사적으로 그 어떠한 시절보다 풍요롭고 완비된 사회에서 살고 있습니다. 이렇게 사회는 발전하고 있고, 그 발전은 선대의 노력과 창조를 기반으로 이루어집니다.

우리는 발전되어 가는 사회에서 그 혜택을 최대한 누리면서, 우리도 자식들을 위해 더 발전된 것을 물려주면 그만입니다. 이 『흰띠 한약사』 역시

선배들이 만들어 놓은 결실에 먹기 편하게 밥상만 차려 드린 것뿐.

선조들은 한약이란 훌륭한 무기를 물려주셨습니다.

혈압약부터, 여러 호르몬, 소염, 항생제, 그리고 여러 가지 건강식품 등은 건강 유지를 위한 훌륭한 수단이 될 수 있지만, 근본을 보강해주는 것이 기본이 되어야 이러한 훌륭한 수단들도 빛을 발할 수 있을 겁니다.

☯ 이제 우리 건강과 생명을 위한 시스템도 한 단계 발전해야 합니다.

:: 월경 시 소화가 잘 안 돼요

월경 증후군은
병명이 아닙니다.

지금부터 실질적인 실제 예를 살펴보며, 신장의 특성을 쉽게 이해해봅시다.
그럼 우선 월경 시 소화가 안 되는 34세 박모 여성을 만나봅시다.

이 여성은 평소 음식을 먹으면 자주 체한답니다.
그런데 월경하기 일주일 전이면 서서히 긴장상태에 돌입합니다.
왜냐하면, 월경 일주일 전부터는 더욱 잘 체하고 가스도 차고, 더부룩하며
피로가 심해져 생활의 질이 확 떨어지기 때문입니다.
왜 이럴까요? 우리는 이 여성을 어떻게 도와주면 좋을까요?

명문화가 쇠약해진 사람은 소화가 제대로 되지 않는 경우가 많다고 했습니다.
이 여성 역시, 명문화가 쇠약한 편이라, 조금만 폭식하면 소화가 잘되지 않
는 상태입니다.

그런데 여자라면 피할 수 없는 월경(月經)이 다가온 것.

배란을 및 쌓였던 자궁벽을 허물고 그것을 밖으로 내보내는 월경이란 것은, 생식과 관련된 중요한 몸의 작용으로, 이는 심장에 부담을 가중하며, 동시에 신장 에너지인 명문화를 많이 소모시킵니다.

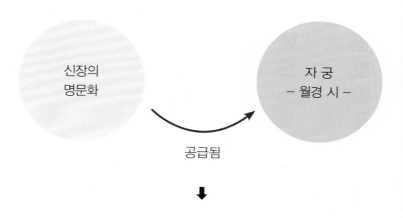

〈평소보다 명문화 총량이 많이 부족해짐〉

[그림 42]

그럼 위의 박모 여성을 다시 한번 봅시다.

평소 소화시키는데도 벅찼던 박모 씨의 신장 에너지가

월경을 해야 하는 시점에는 당장 자궁으로 에너지를 보내줘야 합니다.

평소 명문화가 부족해 비위의 소화 기능을 정상 유지하는 것도 힘들었는데,

월경으로 인해 명문화가 급속하게 고갈되어 버린 상황입니다. 그럼 당연히 비위로 출동하는 명문화는 더욱 부족해지게 되죠? 결국, 미약한 가스 불이 되겠습니다. 이는 마치 평소 가진 돈도 부족한데 돈이 지출될 곳이 갑자기 늘어나 버린 상황입니다.

이러한 상태가 되면 과연 소화만 잘 안 되겠습니까?

명문화가 쇠약하니 아마 만사가 피곤하고, 아침에 일어나기도 힘들고, 몸이 붓고, 허리도 아플 수 있고, 몸살감기도 평소보다 더욱 쉽게 걸릴 수 있겠죠? 월경주기가 느려지거나 월경이 일시 중단될 수도 있습니다.

월경주기가 불규칙해지는 것이 호르몬 변화가 근본 원인일까요?

이럴 때 병명이 '명문화 쇠약'으로 딱 나오면 얼마나 멋집니까?

호르몬 분비도 이러한 결과에 큰 영향을 미치는 것은 맞습니다.

허나 이러한 호르몬 역시 2차적인 사항이고, 근본적인 핵심은 아닙니다.

2차적인 문제라, 이는 무슨 뜻일까요?

이러한 호르몬의 논리는 마치,

갱년기의 원인을 여성호르몬 변화라고 말하는 것과

갑상샘항진증의 원인을 갑상샘 호르몬 분비의 과잉이라고 말하는 것

골다공증, 뼈 약화의 원인을 칼슘 부족이라고 말하는 것과 비슷합니다.

:: 골다공증에는 칼슘

한 비유를 보며 한약과 칼슘의 차이를 이해해봅시다.

어떤 40대 건장한 남성이 길에서 노숙을 하며 살아가고 있습니다.

오늘도 신문지를 덮고 잠을 자려는데, 구해온 신문지가 부족했습니다.

그래서 밤이 되니 춥고 몸이 덜덜 떨립니다.

이 남성도 한 가정의 가장이었고 자기를 믿고 있던 아내와 자식도 있었지만,

어찌 되었는지 지금은 불행히도 노숙생활을 하고 있습니다.

추워서 벌벌 떨고 있는 지금의 상황을 병이라고 보고,

이 남성이 추워서 떨고 있는 원인은 무엇인가? 분석해봅니다.

"음…, 그 원인은 바로 신문지가 부족해서 추운 것!"

유명한 박사가 이렇게 진단해줬습니다. 그 발견, 9시 뉴스에도 보도됩니다.

그래서 이제부터는 국가에서 체계적으로 신문지를 공급해주기로 했습니다.

그런데 한겨울이 오니 신문지로는 강추위를 감당할 수가 없네요.

신문지를 공급해준 남성이 지금 또다시 추워 떠는 이유는 모포가 없는 것이 근본 원인이라는, 과학적 분석 하에 이제부터 겨울에는 모포도 공급해주기로 했습니다.

이 남성이 밤마다 추운 근본적인 이유는 무엇입니까?
박사가 말한 신문지양의 부족? 겨울에는 모포가 없어서?
물론 그것도 중요한 원인이 됩니다. 허나 근본은 아니죠?

이 남성이 밤마다 추운 근본적 이유는,
핵심은 부족한 신문지와 모포가 아니죠? 바로 능력과 의지의 부족이고, 사회적 여건의 부족이죠? 춥다고 매일 신문지주고, 이제는 모포도 주고, 시간이 더 지나면, 아마 밥 시간마다 밥도 줘야 하고, 의복도 줘야겠죠? 이런 식의 치료라면 뒷날 생활비와 집도 줘야 할 것입니다.

만약, 이 남성의 근본적 문제점을 해결해주고, 생활능력을 향상시키며,
의지를 기르고, 일할 수 있는 여건을 확립해준다면, 이 남성은 스스로 차가운 바닥에서 일어나 신문지를 확 걷어찰 수 있을 겁니다.

신문지나 모포는 칼슘이나 고혈압약, 소염제, 스테로이드, 호르몬제 등에 비유될 수 있습니다. '신문지와 난로 = 호르몬제, 항생제' 등의 개념은 힘든 시기에 그것을 이겨내는 매우 중요한 수단이지만, 그것은 일시적 보완의 개념으로, 근본적인 도움에는 한계가 있는 것입니다.

신문지 공급 → 겨울철 모포공급 → 식사제공, 내복공급, 잠자리공급

이 상황이 바로 나이가 들면서 손에 약봉지가 늘어나는 상황입니다.

이러한 시스템에서는 늘어나는 약봉지를 절대 줄여나갈 수 없겠죠?

그리고 오랜 시간이 지나면 스스로 자립하고 회복하는 것이 매우 어려워질 것입니다. 몸은 이미 임시 보충과 차단에 길들여져, 자립, 자생의 능력을 잃어 버렸기 때문입니다.

이와는 반대로 노숙자의 근본적인 애로사항을 해결하고, 근본 능력을 향상 시켜 스스로 살아갈 수 있도록 만드는 것!

그것이 바로 우리가 공부하는 한약의 원리입니다.

쉬운 예로 뼈에 좋은 칼슘을 살펴볼까요?

:: 호르몬제와 신장보강의 차이

호르몬과
신장 에너지의
관계 이해하기.

칼슘이 뼈에 도움이 되는 것은 누구나 알고 있습니다.

노숙자의 추운 밤에는 모포가 도움이 되는 것도 누구나 알고 있습니다.

골다공증의 뼈 약화에 칼슘이란 영양제를 복용하는 것은, 마치 노숙자에게 모포를 더 주는 것과 비슷한 상황입니다.

☯ 신장은 뼈와 연결되어 있고, 이를 '신주골(腎主骨)'이라고 정의합니다.

신장은 뼈의 골수를 생성하고, 뼈를 튼튼하게 유지시켜 줍니다.

그래서 나이가 들고, 어떤 이유로 신장이 약해지면, 뼈도 약해집니다.

신장에 문제가 있으면 골다공증, 디스크, 류마티스나 퇴행성 관절염 등의 질환이 남들보다 일찍 나타날 수도 있겠죠?

참고로 한약 공부란 이렇게 '신주골(腎主骨)' 같은 하나의 개념을 제대로 이해하는 것이 중요합니다. 이 세 글자에서 '골다공증', '성장발달저하', '류마티스' 등을 근본적으로 보완할 수 있는 답을 찾을 수 있으니까요.

신주골(腎主骨)

신장은 뼈와 밀접한 연관, 뼈의 건강에 직접적임

⬇ 신(腎)의 약화

뼈 약화, 골다공증, 퇴행성 관절염 가속

류마티스의 원인 중 하나, 성장 미흡 등

[그림 43]

신장 에너지가 충만하게 유지된다면, 나이가 들어서 칼슘 영양제를 먹지 않아도, 골다공증 같은 질병은 쉽게 발생하지 않습니다. 정상적 식사와 야외 활동을 한다면, 칼슘은 신장에서 알아서 생성, 보충시켜 줍니다. 그래서 칼슘을 복용하는 것도 신장을 보강하는 것이 기본 되어야 의미가 있는 것입니다.

여기서 중요한 개념을 설명해 드리면요.

☯ 칼슘이나 우리 몸의 호르몬은 신장 에너지의 변형된 모습이라는 것.

그래서 호르몬이나 칼슘, 마그네슘 등 무기질, 비타민 성분도 매우 중요한 개념이 됩니다. 왜냐하면, 호르몬, 무기질 등 몸의 여러 성분들은 신정(腎精)의 또 다른 모습이니까요.

이는 뇌수(腦髓)가 신정(腎精)의 변형된 모습인 것과 비슷한 개념입니다.

입문 편에서 배웠죠? 그래서 신정(腎精)을 급격히 보강하는 '녹용'이 노인성 치매에 자주 사용될 수 있는 것입니다. 참고로 젊은 사람의 치매에는 '천마'와 같은 약초로 간(肝)의 열과 풍(風)을 다스리는 경우가 더욱 많답니다.

대부분의 치매는 뇌수(腦髓)가 고갈된 것에서 뇌의 위축이 비롯되고,

나이가 들수록 신정(腎精)이 고갈되므로, 뇌수 역시 고갈되는 것은 어쩔 수 없다고 했습니다. 이런 개념 하나에 치매 예방의 키는 뒷날 여러분이 스스로 찾을 수 있도록 공부해야 합니다.

뇌세포를 공격하는 기전을 차단하는 방법을 고안한다?

이런 것도 훌륭한 과학기술의 혁명이지만, 만약 신허(腎虛)로 뇌수가 부족해져 가는 사람에게, 울화로 인해 뇌수 고갈이 심각한 사람에게 이런 기술을 접목시켜봤자 항암요법이나 호르몬 요법과 별반 차이가 없다는 것은, 먼 뒷날 결과를 확인하지 않아도 예측할 수 있는 겁니다.

위 노숙자에게 모포를 공급하는 것보다 더욱 중요한 것은, 바로 스스로의 능력을 키우고, 그 능력으로 인해 자립하고 그로 인한 수익 창출, 그리고 저축과 재산의 형성이겠죠? 핵심은 '자립'과 '재산의 형성'입니다.

이렇게 재산이 형성되면, 돈으로 신문지도 모포도 살 수 있습니다.

돈을 벌게 되면 그 돈이 모포로 변하고, 도시락으로도 변합니다.

모포, 도시락은 바로 돈의 변형된 모습입니다.

앞서서 신장 에너지는 돈과 비슷하다고 했죠? 호르몬은 신정(腎精)이 근본!

> ☯ 호르몬, 뇌수, 칼슘 등의 여러 중요물질은 우리 몸의 재산인 신장 에너지의 특히 신정(腎精)의 변형된 모습입니다.

호르몬제 투여는 노숙자에게 모포를 주는 것이고,

신장을 보강하는 것은 노숙자에게 자립능력을 키워주는 것.

물론, 날씨가 아주 추워 노숙자가 얼어 죽을 수 있다면, 그럴 때는 급히 모포나 난로를 먼저 보급할 수도 있겠죠?

그래서 병의 치료라는 것은 아주 섬세하고 정성이 들어갑니다.

그리고 어떠한 수단도 배척하고 무시해서는 안 되는 것입니다.

또한, 병의 그 선후와 완급의 조절이 필요한 것입니다.

다른 것들도 대부분 마찬가지입니다.

눈 떨림은 마그네슘 부족? 갱년기는 호르몬변화?

:: 갱년기

갱년기란,
신장 에너지가 급격히
소멸하는 시점.

눈 떨림에 근본 원인은 마그네슘 부족이라 합니다.
과연 마그네슘 부족이 눈 떨림의 근본적인 원인일까요?

스트레스나 수면부족으로 간(肝)에서 혈액의 재생과정인 '활혈'이 제대로 이루어지지 않으면, 활혈 된 맑은 혈액이 전신에 분배되지 못할 것입니다.
그럼 결과적으로 눈이나 근육 등 몸의 여러 곳은 맑은 혈액을 보내달라고, 특히 더 많은 신호를 보내게 됩니다. 몸의 sos죠?
몸의 증상이란 바로 우리 몸의 소중한 신호라고 했습니다.

이런 결과로 눈의 경련으로 나타나게 됩니다. 특히, 두 눈은 간과 직접 연결된 곳이라 그 떨림이 다른 곳보다 더 잦고, 직접적일 수밖에 없는데요.
마그네슘도 중요하지만, 그것은 칼슘의 예와 같이 2차적인 일입니다.
물론 마그네슘을 복용하면 눈의 떨림이 많이 줄어들 수 있습니다.
마그네슘처럼 표면적으로 부족한 부분을 급히 공급해주는 것도 건강을 지켜나가는 데 중요한 수단입니다.

그러나 우리 간(肝)에서 시행되는 혈액의 재생시스템!

활혈 기능이 제대로 이루어지지 않는데, MG만 먹고 눈 떨림 증상만 차단한다고 하여 근본적인 불균형이 해결된 것은 아니죠?

만약, '활혈'이란 시스템이 제대로 이루어진다면 어떨까요?

마그네슘 부족으로 인해 눈을 떨 필요가 없을 겁니다.

화내고 잠 안 자고, 그래서 활혈이 이루어지지 않고, 결국 몸에 균형이 무너지니 결과적으로 마그네슘뿐만 아니라 멜라토닌 호르몬 등의 분비도 점차 불균형을 일으키게 되는 것입니다.

갱년기라는 것도 마찬가지입니다.

갱년기가 오면 호르몬의 변화가 급격하게 나타나고, 그로 인해서 몸에는 여러 변화가 나타난다고 합니다. 탈모도 오고, 불면증도 생기고, 허리도 아프고, 얼굴에 열을 오르락내리락, 반대로 아래는 허냉해지고, 폐경(肺經)도 나타나며, 시력도 나빠지고, 뼈도 약해지고, 기미도 생기고, 기억력도 감퇴하고….

왜 이런 증상이 나타날까요?

인체는 나이가 들면서 신장이 쇠퇴하는 시기가 일정하게 찾아옵니다.

여자는 그 기간을 7년 단위로 보았습니다. 그래서 7x4로, 28세 때 육체의 정점을 찍고, 점차 내리막길을 걷게 되는데, 주로 7년 단위로 신장 에너지가 급격히 쇠약해지게 됩니다.

갱년기란 바로 인생에서 신장 에너지가 가장 급격하게 쇠퇴하는 시점으로, 예로부터 여성은 7x7 = 49세 전후에 신장이 급격히 쇠약해지면서, 폐경 등 여러 증상들이 발생한다고 언급했습니다.

근본 생명력인 신장 에너지가 급격히 쇠락하는 시점,

탈모, 뼈의 약화, 불면, 폐경, 호르몬 분비변화, 만성피로나 불면 등은 모두 신장 에너지가 급격히 고갈되며 나타나는 결과적 현상들이 되겠습니다.

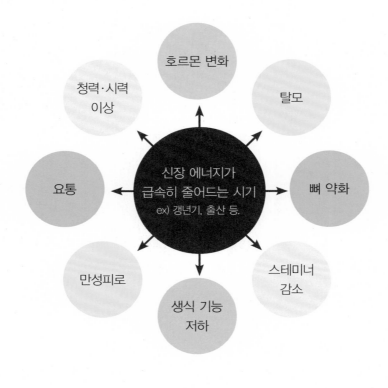

[그림 44]

여성은 출산 시에도 신장 에너지가 급격히 소모됩니다.

그래서 신장 에너지의 급격한 쇠약으로 인해 몸에서는 여러 가지 결과들이 나타날 수가 있답니다. 대표적인 것이 출산 후 탈모나 요통, 체중의 증가, 갑상 샘항진과 저하, 피로, 어지러움, 건망증, 상열(上熱) 등이 되겠죠?

그래서 여성은 일생 동안, 신장 에너지가 급격하게 소모되는 출산과 갱년기, 이 두 시기를 잘 극복하는 것이 건강한 삶을 위한 핵심 요소가 되는 것입니다.

몸의 중요한 요소인 호르몬도 마찬가지입니다.

호르몬은 부신피질, 갑상샘 등에서 분비되지만, 그것을 근본적으로 주관하는 것은 바로 신장입니다. 신장이 건강해야 호르몬의 분비가 정상적으로 유지되고, 신장이 쇠약해지면 호르몬 분비도 문제가 발생하는 것입니다.

필요시에는 마그네슘, 칼슘 등의 도움을 받는 것도 좋습니다만,

근본을 잃어버린 채, '소 잃고 외양간만 고치는 노력'이라면 아무리 비싼 영양제라도, 모두 무용지물!

마그네슘이 표(表)라면, 신정(腎精)은 본(本)이죠?

건강은 표(表)와 본(本)을 동시에 고려하는 조화로운 지혜가 필요하답니다.

02.
신정(腎精)

세상 모든 것은 음양(陰陽)이 있고, 우리 신장에도 음양(陰陽)이 있다는 것은 이미 입문 편에서 언급한 내용입니다.

신장의 양(陽)은 명문화, 그리고

신장의 음(陰)은 바로 간의 활혈을 공부할 때 배웠습니다.

간(肝)이 활혈을 할 때 누구로부터 에너지를 보강했습니까?

그건 바로 신장의 정(精)

☯ 신장의 음(陰)은 우리 몸의 귀중한 물질인 정(精)을 의미합니다.

> 이를 바로 신정(腎精)이라고 합니다.
>
> 신정(腎精)은 명문화와 더불어 우리 몸에서 제일 중요한 개념입니다.

생명의 불꽃인 명문화도 중요하지만, 우리 몸의 신정(腎精)도 그 무엇보다 중요하답니다. 정말 표현하기 힘들 만큼 중요한 핵심이 바로 정(精)입니다.

이 신장의 정(精)이 바로, 우리 몸의 실질적인 자본력이며, 근본 에너지가 됩니다. 결과적으로 신정(腎精)이 충만하여야 중요한 명문화도 생성되니까요. 또한, 신정 역시 명문화처럼 대부분의 질병에 핵심적 요소가 된답니다.

그래서 예로부터 "정(精)이란 우리 몸의 보배요~." 이렇게 말하였나 봅니다. 우리는 정(精) 한 방울을 혈액 백 방울 보듯 귀하게 여겨야 합니다.

이 말을 바꿔보면, 정(精) 한 방울이 피 백 방울에 공급되어 활동한다는 것.

신정(腎精)이 충만해야 몸의 기본인 수화지교가 이루어졌습니다.

신정(腎精)의 기운이 심장에 올라가서 그 화(火)를 데리고 내려와야죠?

또한, 신정(腎精) 충만해야 오장과 전신에 에너지를 공급해줄 수 있습니다.

마치 간이라는 주유소에서 혈액이라는 차들이 주유하듯 말이죠.

오장(五臟) 모두 중요하지만, 특히 우리는 신장의 원리를 알아야 건강하게 살아갈 수 있습니다. 이 원리를 모르고서 건강하게 살아가기는 힘이 듭니다. 그 예를 한 번만 볼까요?

:: 고혈압

상열하한(上熱下寒)은
건강의 최대적.

신정(腎精)이 부족한 사람의 실제 예를 볼까요?

신장의 정(精)이 충만해야 아래위의 순환이 잘 이루어지지만, 어떠한 이유에서 신정(腎精)이 쇠약해지면, 수화지교는 잘 이루어지지 않게 됩니다.

그럼 심화(心火)가 아래로 내려오지 못하고 위로 떠올라버립니다.

결과적으로 명문화는 보충되지 않으니, 그때부터 소화도 불량하고, 피곤하고, 정력도 떨어지는 등, 신체 여러 부위의 건강이 무너지게 될 것입니다.

이렇게 비위의 영양생성부터 몸의 균형이 전체적으로 무너져버리니, 결과적으로 근본 에너지인 신정(腎精)의 보충도 점차 미흡해지게 됩니다.

시간이 지나며 몸의 근본은 더욱더 고갈되는 악순환에 빠지게 됩니다.

이런 사람은 심화(心火)나 수기(水氣)가 위로 상승하니 잠잘 때, 정신이 꺼지지 않아 비몽사몽 선잠을 자기 일쑤입니다. 잠을 제대로 못 자니 혈액이 재생되지도 못하겠죠? 몸은 천근만근일 겁니다.

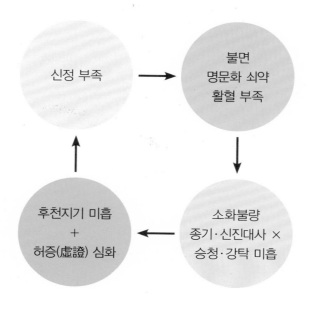

[그림 45]

위로는 심화(心火)가 치솟고, 그로 인해 잠을 깊이 못 자니까,

간(肝)에서는 밤새 활혈이 미흡하게 되고, 이로 인해 소설 기능도 실조되며, 결국 간화(肝火)가 발생하게 되니, 이는 심장과 간의 화(火)가 합쳐지며 몸의 비정상적인 열기를 형성하게 됩니다.

또한, 몸은 점점 허(虛)해지니 허열(虛熱)이란 것도 발생하게 됩니다.

심장과 간의 화(火), 그리고 허열(虛熱)이 동시에 치솟아 오르는군요.

강력한 열이 위로만 치솟고 수화지교는 이루어지지 않으니, 결국 아래쪽은 허냉(虛冷)해지고 어깨, 머리 등 위쪽만 뜨거워지게 됩니다.

얼굴, 머리는 열이 치솟아 두통, 탈모나 불면증 등이 나타나게 되고,

이러한 상황은 머리 쪽 압력을 높임으로 뇌압과 안압을 상승시키게 되며, 결국 고혈압이나 뇌출혈, 녹내장 등을 발생시키는 기본적 원인이 됩니다.

이럴 때 고혈압약이나 혈전용해제가 필요할 수도 있습니다. 허나 근본적 문제인 '수화지교'의 실조와 그로 인한 '상열하한' 상태가 방치된다면, 그건 마치 현대 의료보험체계나 다를 것이 없는 '밑 빠진 독에 물 붓기'가 되는 것입니다.

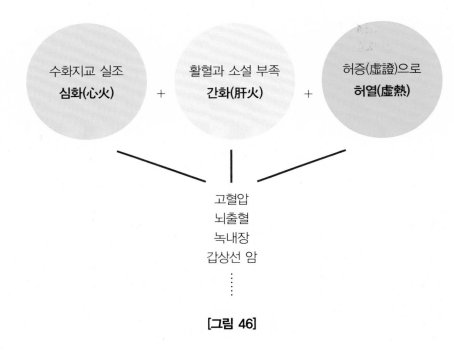

[그림 46]

:: 고혈압 2

어혈(瘀血)이나 혈전(血栓) 등 혈관의 찌꺼기들도 고혈압의 직접적 원인이 됩니다. 허나 그것은 2차적인 원인들이고, 그 근본에는 항상 간(肝)과 신(腎)의 불균형과 수화지교의 실조가 깔려있습니다.

어혈이나 혈전이 왜 2차적인 원인일까요?

만약, 어떠한 이유에서 신정(腎精)의 부족이 심해지면, 결국 간에서 활혈이 제대로 이루어지지 않게 됩니다. 그럼 당연히 소설작용도 실조됩니다.

간의 소설이 실조되면 기의 흐름이 울체(鬱滯)가 되죠? 그럼 결국, 혈액의 순환이 원활하지 않게 됩니다.

☯ 결국, 혈액이 정체되고 어혈(瘀血)이 생기게 됩니다.

또한, 간(肝)에서 활혈이 제대로 이루어지지 않으면 혈액이 새롭게 태어나지 못하므로 이 역시 결과적으로 어혈을 발생시키게 됩니다.

이렇게 활혈이 미흡하면, 탁한 혈액의 비율이 높아져 각 조직의 신진대사 기능도 미흡해지게 됩니다. 그럼 세포와 혈관 속에 노폐물이 쌓이게 되겠죠? 이러한 상황이 지속되면, 이 역시 혈압상승에 영향을 미치게 될 것입니다.

신정(腎精)의 부족뿐만 아니라 스트레스를 많이 받아도 소설이 실조되죠? 이렇게 스트레스로 소설이 실조되면 당연히 상대 기능인 '활혈'의 기능도 실조되면서, 이 역시 어혈(瘀血)을 발생시키게 될 것입니다.

또한, 신정(腎精)의 부족으로 명문화가 쇠약하다면, 비위(脾胃)에서 소화가 제대로 이루어지지 않겠고, 그 결과 비위에서는 담음(痰飮) 및 노폐물을 많이 만들어내게 됩니다.

끈적끈적한 담음(痰飮)은 혈관 곳곳에 자리를 잡게 되겠죠?

담음(痰飮) 등 노폐물 등도 혈압을 상승시키는 요인이 됩니다.

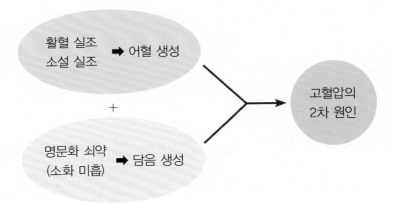

[그림 47]

참고로 이러한 담음(痰飮)이 심장의 소통을 방해하게 된다면,
심장이 두근거리며, 불안 초조 및 공황장애까지 발생시킬 수도 있답니다.
또한, 담(痰)은 몸의 곳곳에서 소통을 막고 열(熱)을 발생시켜, 중풍(中風)
을 유발하는 핵심원인이 되기도 한답니다.

☯ 어혈이나 혈전, 담음(痰飮)은 결과적인 상황입니다.

그 부산물들의 생성을 최소화할 수 있는 몸 상태가 중요한 것입니다.
내 몸에 명문화가 충만하고, 그래서 소화도 잘 이루어지며,
신정(腎精)이 가득하여 '활혈'까지 잘 이루어지는 것,
이렇게 몸이 기본이 잘 돌아가는 것이 질병예방의 핵심.

우리 몸의 균형!
음양(陰陽)의 조화로운 상태가 건강을 유지하는 핵심요인이 되겠습니다.

:: 고혈압, 중풍 예방

우리 아이에게
신정(腎精)을 보강하는 것은
삶의 가장 큰 선물.

나이가 들수록 신장의 정(精)이 고갈되는 것은 생명의 이치입니다.

이렇게 신정(腎精)이 고갈되면 수화지교라는 기본 시스템이 잘 이루어지지 않게 되고, 그러한 불균형 하나가 고혈압이나 뇌출혈, 심장병 등의 핵심요임을 이해하였습니다.

초등학생, 중학생이 고혈압, 중풍으로 치료받는 경우는 거의 없습니다.

뭐 타고난 신장 에너지가 아주 쇠약하다면, 그럴 가능성도 있지만, 아직 신장 에너지가 고갈되지 않은 젊은 시절에는 고혈압, 중풍 같은 질병이 나타날 일이 드물다는 것입니다.

☯ 나이가 들어도 신장 에너지를 최대한 보충하고 유지해주는 노력이 핵심.

물론 나이가 들며 신정(腎精)이 점점 고갈되는 것을 근본적으로 막을 수는 없습니다. 하지만 그것의 소비를 최소화하며 수시로 보충시켜준다면, 나이 들어도 중풍, 암 등의 불행을 최대한 줄일 수 있을 겁니다.

신정(腎精)의 보강

충만함 유지

↓

암, 중풍 등 성인병

예방의 핵심 key

[그림 48]

현재 암 발생확률과 뇌경색, 뇌출혈 발생확률, 거기에 심근경색 발생확률까지 합쳐보면 호상(好喪)이 드문 편입니다. 이런 상황에서 신장 에너지를 보충하는 간단한 노력 하나가 그것들의 발생 확률을 확 줄여줄 수 있습니다.

호르몬제나 항생제 등도 필요한 시점이 있지만, 그것이 암, 중풍, 골다공증 같은 질병발생 확률을 근원적으로 낮추기에는 한계가 있습니다. 건강한 삶을 위해서는 살면서 자주 발생하는 감기나 '내상외감' 같은 '표증'의 즉각적인 해결과 더불어 신장 에너지 보충이라는 '근본' 보강이 병행되어야 한답니다.

어느 날 초등학생 아이의 모친이 왈(曰),

아이가 오한 발열에 콧물이 났고 학교양호실에서 물약을 먹고 괜찮아졌는데, 이제 어떻게 할까요, 물어보십니다. 그래서 아이의 근황을 파악하니 어젯밤에 과식하고 추운 곳에서 놀았답니다. 이거 '내상외감'이죠?

제가 알기로는 잘못 먹어서 생긴 식상(食傷)과
그로 인한 내상외감을 치료할 수 있는 양약은 아직 없습니다.
그런데 물약 한 병에 '내상외감'이 치료가 되었다?
분명 내일 다시 열이 날 것임은 명약관화합니다.
그러나 진짜 열이 안 나고 '내상외감'이 해소되었다면, 저는 그 물약을 알아보기 위해 학교 양호실에 문의해볼 생각이었습니다.

아이가 우선은 좋아졌으니 모친은 안심하고 있으나, 제 마음은 개운치 않았습니다. 그리고 결과는 뻔합니다. 밤이 되니 아이는 또 열이 발생하였습니다. 하루라도 빨리 해결하면 하루 이틀이면 끝날 일을 이렇게 방치해서 일주일 이상 약을 먹어야 합니다. 다시 온 모친에게 우선

☯ '곽향정기산 + 향사평위산' 과립을 조제해드렸습니다.

어려운 내용이지만, 내상외감이란 것도 큰 개념에 속합니다.
내상외감으로 비염, 폐렴, 기관지염이 올 수 있고, 편도가 부을 수도 있으며 급성 복통이나 장염이 발생할 수도 있고, 불행히 급성맹장염이 나타날 수도 있습니다.

이렇게 급성병은 그 치료가 매우 다양하고, 진행도 빠르며, 병의 판단도 어렵습니다. 위의 한약은 이러한 복잡한 상황에 가장 기본으로 사용될 수 있는 조합으로, 아이에게 응용할 일이 많은 처방이 되겠습니다.

하루 뒤 열은 정상으로 돌아왔고 예상대로 기침 콧물이 약간 남았습니다.
아마 바로 약을 먹였으면, 그리고 근본을 보강한다면, 우리 아이가 고생할 일이 많이 줄어들겠죠?

생로병사의 틀 속에서 건강유지를 위해 가장 중요한 것,
우리들의 외로운 인생에 꼭 동반되어야 하는 것은,

☯ 수화지교, 활혈 같은 몸의 시스템을 항상 최상으로 유지해주는 것!
거기에 더해 자신의 취약한 부분을 이해하고 보완하며 살아가는 것,
이를 알고 실천할 수 있는 여러분과 나는 아주 행복한 사람이라 말할 수 있겠습니다.

:: 디스크, 요통

어떤 갱년기 여성이 허리가 너무 아프다고 호소합니다.
젊은 20대 남자가 방사과다 후 요통을 호소합니다.
왜 요통이 심해진 것일까요.

요통은 여러 원인이 있습니다.
근육변형, 자세 불균형, 사고로 인한 것, 술로 인한 것 등등, 그러나
자세변형, 사고 등을 제외한 요통의 가장 기본은 바로 신정(腎精) 고갈로,

☯ 대부분의 요통은 신허(腎虛)라는 공통적 요소를 포함하고 있습니다.

이렇게 필요한 시기에 신정(腎精)을 보강하면, 젊을 때 디스크까지 진행될 일은 드뭅니다. 허나 방치한다면, 디스크 발생도 금방입니다. 신장이 약해지면 허리 근육과 척추가 약해지기에, 결과적으로 추간판이 돌출되는 상황은 쉽게 일어날 수 있습니다.

신장에너지 부족으로 인해, 신장에서 받쳐주는 허리 근육은 점점 나약해지며, 척추의 디스크는 아래위로 억눌리고 있습니다.

과격한 힘을 주면 금세 깨질 것 같은 유리 같은 허리 디스크죠?

갑자기 무거운 것을 들거나, 급격한 충격이 가해지면 어떻게 될까요?

바로 삐끗해서 병원에 실려 가는 상황이 될 것입니다.

반대로 말하면 신장 에너지가 튼실한 사람은 교통사고, 혹은 낙상하거나 운동 시, 허리를 다치지 않는 이상, 추간판이 쉽게 돌출되지 않습니다.

욕심과 스트레스, 과음, 과식, 담음(痰飮)

생각과 고민, 과도한 두뇌 활동, 공부,

자궁을 적출하거나 출산, 성생활을 하는 것,

오래 서 있거나 누워있거나, 불편한 자세의 고정, 어혈(瘀血)

땀을 과도하게 흘리고, 체력을 너무 많이 소비하는 행위.

이런 일상 행위들은 신장 에너지의 소비를 부르고,

그것의 소비가 공급량보다 커지면, 결국 신장을 약하게 하며, 결국 수많은 병증을 발생시키게 될 것입니다. 허리 통증도 그 수많은 가지 중 하나에 해당하겠죠?

신장에 공급되는 에너지양	<	신장에서 소비되는 에너지양	☞	신허(腎虛)로 각종 병증의 발생

이러한 이유로 인해 허리가 아픈 것이 꼭 나쁜 것만은 아닙니다.

그것은 "신장 에너지가 고갈 나고 있어요."라는 몸의 소중한 신호입니다.

그럴 때는 몸과 마음, 생활의 불균형을 되돌아보면 될 것입니다.

되돌아보는 방법은 그리 어렵지 않습니다.

집에서 보리차 대신 구기자나 산수유를 꾸준히 달여 먹는 간단한 노력 하나로도 몇 년 뒤, 디스크가 발생할 것을 막을 수도 있을 겁니다.

:: 처방 소개

지금부터 성인에게 자주 나타나는 세 가지 질병에 대한 처방을 살펴보도록 하겠습니다.

* 이 내용은 독자의 공부와 실력향상을 위한 것이므로, 개인적인 복용문의는 주변 전문가에게 상담하시길 바랍니다.

스트레스, 울화병에 대한 한약처방	비염에 대한 한약처방	갑상샘항진에 대한 한약처방

아직 약초와 처방을 배우지 않았으므로, 구체적으로 이해하기 어렵고,
한약처방을 자세히 설명할 수도 없습니다.

이러한 이유로 인해 처방조합에 대한 구체적 설명과 그에 대한 공부는
뒷날을 기약하고, 우선 병이 발생하는 원인과 더불어 핵심적인 한약처방만
소개해 드리도록 하겠습니다.

지금부터 이러한 병들이 발생하게 되는 상황을 공부하다 보면,
지금 기초 편에서 공부했던 몸의 여러 원리들

☯ 활혈이나 수화지교, 신정(腎精) 명문화 등, 앞에서 배운 몸의 원리들이
질병과 어떻게 연결되는지, 어느 정도 이해하시게 될 것입니다.
이런 것이 바로 한약 공부의 핵심이겠죠?

비록 처방까지 자세히 공부하지는 않지만, 지금까지 배운 중요한 원리를 비
염, 갑상샘저하증과 같은 몸의 병증에 대입해볼 수 있는 것만으로도, 우리들
에게는 아주 소중한 시간이 될 것입니다.

2장

울화병, 비염, 갑상샘항진·저하

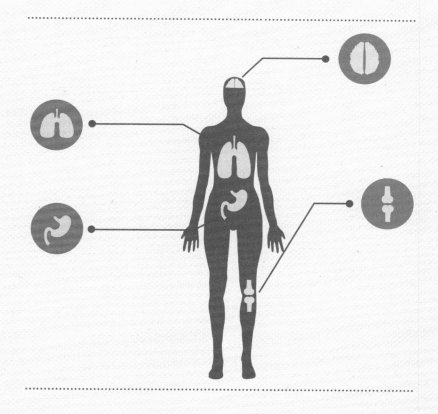

01.
스트레스

상한론(傷寒論)이란 의서는 동의보감처럼 익숙한 의서가 아니지만, 한약을 전공한 사람들은 동의보감 이상으로 중요하게 여기는 의서 랍니다.

외부 사기인 찬 기운에 공격당하는 우리 몸의 상황과

그에 따른 처방과 치료법을 설명해놓은 의서로, 제목만 본다면, 감기치료를 위한 서적이라 생각할 수도 있습니다. 하지만 이 의서의 진정한 가치는 바로,

☯ 외부 찬 기운 등의 사기가 우리 몸에 들어와 불균형을 일으키는 상황과 그에 대한 몸의 반응을 자세히 설명하고, 처방까지 제시했다는 점.

이것이 바로 한의학을 한 단계 발전시키는 의서가 되는 이유입니다.

그런데 여기서 언급하고자 하는 것은요.

우리 몸에는 상한(傷寒)만 있는 것이 아닙니다.

예를 들면, 음식에 의해 몸이 공격당하는 식상(食傷)도 있고,

스트레스에 몸이 공격당하는 칠정(七情)병도 있습니다.

☯ 세상 모든 요소들이 다 우리 적이 될 수 있습니다.

그 요소는 평소에는 우리에게 도움되는 음식일 수도 있고,
사랑의 감정일 수도 있으며, 혹은 열정과 분노일 수도 있습니다.
평소는 따뜻하고 시원한 날씨이지만, 이것이 평균을 벗어나면, 바로 우리 몸의 균형을 잃게 하여 병의 핵심원인인 사기가 될 수 있다는 겁니다.
이렇게 하나의 불균형에서 파생된 병증들은 시간이 지나면서 아주 다양하게 표출될 수 있으며, 그것들은 현대사회의 수많은 병명(病名)들을 생성합니다.

이렇게 몸의 불균형을 유발하는 여러 가지 요소들 중,
이번 시간은 '감정(感情)'으로 인해 발생한 몸의 불균형과 그로 인한 각종 병증(病症)을 치료할 수 있는 한약 처방들을 살펴보겠습니다. 스트레스와 관련된 수많은 한약 처방들 중에서 기본적이면서 효과적이고, 현실에서 응용 가능한 처방으로 간단히 공부하겠습니다.

:: 스트레스의 1차 공격은?

스트레스는
간(肝)과 밀접한
연관이 있습니다.

외부 찬 기운, 건조한 기운, 감기 바이러스 등은 통상 오장육부 중 어느 곳을 먼저 공격할까요? 공격하는 기운에 따라 조금씩은 다르겠지만,

🌑 외사(外邪)에 대한 몸의 1차 방어벽은 대부분 폐(肺)가 되겠습니다.

물론 습사(濕邪)는 비위(脾胃)를 공격하는 것처럼, 구체적으로는 그 대상이 다양해질 수 있지만, 외사(外邪) 및 세균, 바이러스의 1차 방어에는 폐(肺)의 기능과 밀접한 관련이 있답니다.

반대로 스트레스의 공격은 오장 중 어느 곳을 가장 먼저 공격할까요?

슬픔의 감정은 폐(肺)를 약하게 하고, 생각과 고민은 비위(脾胃)를 약하게 하는 등 그 대상이 다양하지만, 큰 틀에서 이해한다면 이러한 감정의 병은 간(肝)과 심장(心)에 밀접한 영향을 미친답니다.

◉ 감정이란 내인(內因)에 대한 1차 방어벽은 주로 간(肝)이 되고, 종착역은 주로 심장(心臟)이 된답니다.

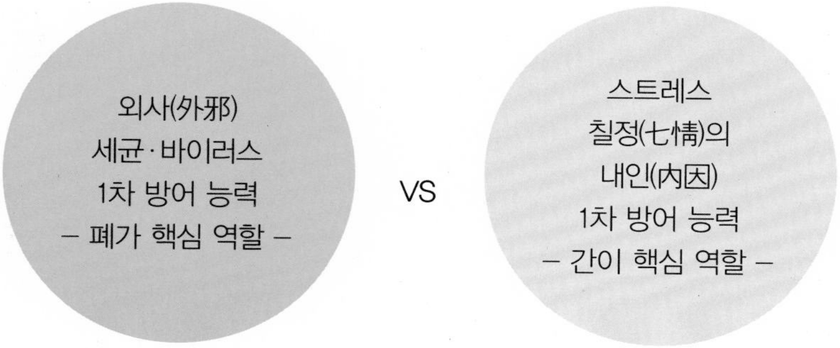

외사(外邪)
세균·바이러스
1차 방어 능력
– 폐가 핵심 역할 –

VS

스트레스
칠정(七情)의
내인(內因)
1차 방어 능력
– 간이 핵심 역할 –

[그림 49]

분노, 괴로움, 좌절, 슬픔, 욕심 등.

◉ 감정의 불균형이 심해지면 그것은 간(肝)과 심(心)에 타격을 주게 되며, 결국 간(肝)의 정상적 생리 기능인 소설과 활혈을 실조시키게 됩니다.

:: 스트레스가
만병의 원인인 이유 1

스트레스가
만병의 근원인
이유를 살펴봅시다.

정서적인 불균형으로 간(肝)이 공격당하면 간의 균형이 깨지죠?

그럼 간의 불균형은 그 옆의 장기로 전파되게 된답니다.

그 전파는 크게 3+1로 표현할 수 있습니다.

그 3+1 중 가장 중요한 것 첫 번째는,

🌑 스트레스란 내인(內因)의 공격, 간(肝)의 불균형
   울화(鬱火)나 심화(心火)의 발생.

스트레스로 인한 간의 불균형은 우리 마음의 장기, 군주의 장기인 심장을 직접 공격하게 됩니다. 그럼 심장의 균형도 무너지게 되겠죠?

결국, 간의 화(火)에 공격받은 심화(心火)가 위로 떠오르는 상황이 발생하게 되는 것입니다. 이렇게 심화(心火)가 위로만 떠오르면 무엇이 이루어지지 않게 됩니까?

바로 수화지교의 실조가 나타나게 됩니다.

😎 수화지교 실조는 스트레스가 몸을 쇠약하게 하는 핵심 이유가 됩니다.

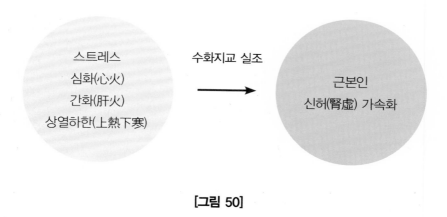

스트레스
심화(心火)
간화(肝火)
상열하한(上熱下寒)

수화지교 실조 →

근본인
신허(腎虛) 가속화

[그림 50]

수화지교가 실조되면 명문화가 쇠약해진다는 단순한 원리 외에
수화지교가 실조되면 왜 신정(腎精)이 고갈되는지,
수많은 경우들 중에서 단 하나의 예만 들어봅시다.

'수화지교 실조'로 심화(心火)의 상승과 더불어 '소설과 활혈' 실조로 인한 간
화(肝火)의 상승, 그리고 허열(虛熱)의 발생은 우리 머릿속의 뇌수(腦髓)를
메마르게 합니다.

입문 편에서 뇌수는 신정(腎精)이 근원이라 공부했죠?
귀중한 신정(腎精)으로 힘들게 뇌수를 만들어 놓으면 금세 메말라 버리고,
또 채워주는 것을 반복하니, 근본인 신정(腎精)이 얼마나 고갈되겠습니까?

이렇게 근본의 쇠약은 더욱 가속화되고, 결국 뒷날 치매가 발생할 수 있는 기본적 여건이 갖추어지게 되는 것입니다.

이러한 예는 스트레스가 우리 몸의 근본을 고갈하는 수많은 경우 중 하나에 불과하겠습니다.

:: 스트레스가
만병의 원인인 이유 2

3+1 중, 이제 두 번째 전파 기전입니다. 그것은 바로

☯ 간의 불균형은 바로 옆의 비위(脾胃) 기능을 억누릅니다.
간기범위(肝氣犯胃)나, 간비불화(肝脾不和)가 되는 것입니다.
간기범위가 되면 간의 울체와 울화가 경락과 혈맥을 통해 비위로 그대로 전해지게 됩니다. 그래서 비위의 중요 기능들인 소화와 비별청탁, 승청강탁에 문제가 발생하게 되는 것입니다.

가스가 차고, 위염, 역류성 식도염이 중요한 것이 아니라,
간기범위로 인해 비별청탁, 승청강탁이 실조된 상황,
간의 화(火)가 비위(脾胃)에 염증을 발생시키는 상황.
이런 상황을 읽을 수 있는 눈이 중요한 것입니다.

☯ 스트레스로 인한 간기범위는 후천적인 영양생성의 미흡을 야기하고,
결국 가장 중요한 신정(腎精)의 고갈을 불러옵니다.

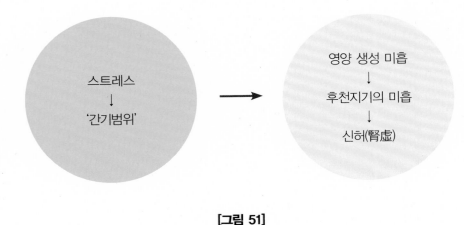

[그림 51]

수화지교 실조에 더하여 간기범위의 상태가 오래된 사람은 그 몸 상태가 어떨까요? 위염, 헬리코박터, 담낭염이란 결과도 중요하지만, 그런 결과적 증상 차단에만 집중해서는 그 한계가 있겠죠?

:: 스트레스가
만병의 원인인 이유 3

스트레스가 몸에 해로운 3+1 중, 세 번째 전파 기전은 바로,

☯ 간의 불균형으로 인한 울화(鬱火)의 발생과 그 기운의 역상은,
바로 위쪽의 폐(肺)를 공격하게 됩니다.

이렇게 폐(肺)가 약해지고, 손상당하게 되면 폐의 핵심원리인 '선발'과 '숙강
기능'에 장애가 발생하게 되는 것입니다. 중요한 선폐, 윤폐가 실조되겠죠?

간의 화(火)로 폐에서 선폐가 실조되니, 기침이 나타날 수 있습니다.
간의 화(火)가 위로 치솟아 오르니, 폐의 '선발숙강' 기능 중, '숙강' 기능에
더욱 큰 장애가 발생할 수 있습니다. 과연 폐의 숙강 기능의 실조는 어떠한
결과를 만들어 낼까요? 만성적 기침? 혹은 천식?
이런 것도 아주 중요합니다. 조금 더 깊게 들어가봅시다.

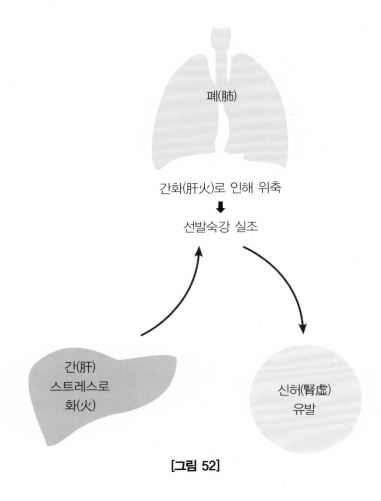

폐(肺)

간화(肝火)로 인해 위축

↓

선발숙강 실조

간(肝)
스트레스로
화(火)

신허(腎虛)
유발

[그림 52]

폐가 기운을 밑으로 내려주는 숙강 기능이 실조되고,

폐는 건조해져 선폐의 기능이 제대로 이루어지지 않으니까,

호흡이 위로 뜨는 천식 같은 만성적 기침은 당연한 결과입니다.

간에 열이 차서 폐를 건조하게 만들면 구역질이 나는 것도,

폐에서 영양의 전달이 제대로 되지 않으니 쉽게 피곤해지는 것도 당연합니다.

☯ 허나 가장 중요한 것은 바로 폐의 핵심인 금생수(金生水)의 과정 실조 → 폐에서 신장이란 금고로 저축을 못 해주는 상황이라는 것입니다.

결국, 이러한 폐의 불균형은 근본인 신장을 더욱 고갈시키게 되고,
이렇게 신장이 고갈되면, 결국 간(肝)이나 심장뿐만 아니라 폐(肺)에도
정(精)의 공급이 부족해지기 때문에, 결국 폐의 핵심인 '윤폐 기능'이 더욱
미흡하게 되는 것입니다.

이렇게 폐의 중요 기능이 마비된 상황이 핵심이겠죠?
천식이 나타나고, 폐렴이 나타나고, 결핵이 나타나고, 우울증이 나타나는
것은 사람에 따라 발생하는 당연한 결과라는 것입니다.

지금까지 배운 1+2+3이 합쳐진 사람을 상상해보세요.
그 사람은 과연 어떻습니까?

:: 스트레스가
만병의 원인인 이유 4

3+1 중, 이제 마지막인 +1입니다.

이 +1은 무엇일까요? 위 설명 중, 오장 중 남은 친구는 누구입니까?

그것은 바로 신장, 마지막 종착점이 됩니다.

첫 번째, 심장은 심화(心火)의 상승으로 수화지교에 문제가 생겼었고,

두 번째, 비위는 간기범위로 인해 후천지기 생성에 문제가 생겼었고,

세 번째, 폐는 울화(鬱火)의 역상으로 인해 선폐와 숙강이 실조되었다.

☯ 이 세 가지 요소가 합쳐짐으로 인해서 결국은?

우리 몸의 근본인 신장 에너지, 우리 몸의 금고가 고갈이 나게 되는 것,

그리고 이러한 근본에너지의 고갈은 또다시 나머지 장기들인 간(肝), 심(心),

비위(脾胃), 폐(肺) 등의 기능에 심각한 장애를 유발하게 되는 것,

이러한 로테이션의 결과로, 결국 스트레스가 만병의 원인이 되는 것!

악순환의 반복이죠?

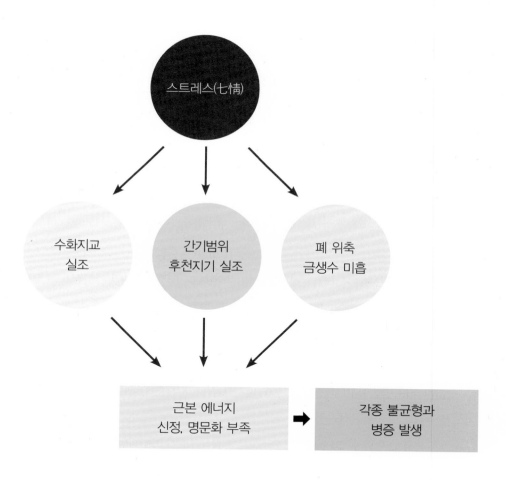

[그림 53]

이 종착점에서 몸의 불균형을 해결하지 못하고 위와 같은 악순환이 지속되면, 탈모에 천식, 불면, 두통, 가려움, 안구 건조, 녹내장, 비염, 관절염, 요통, 자궁근종, 혈압, 위염, 만성피로, 류마티스, 루푸스 등 여러 병 중 뭐가 나타나도 이상할 것이 없는 몸입니다. 그 몸 상태는 거의 종합병원, 과연 어디서부터 치료해야 할까요?

이런 몸 상태에서 나타난 기침, 천식, 비염이 쉽게 치료가 될까요?
이런 악순환에 빠진 몸은 단순한 기침도 그 치료가 오래 걸리게 됩니다.

위처럼 울화병의 원리를 간단히 공부해보니 어떤 느낌인가요?
지금까지 배웠던 몸의 여러 가지 기능들이 모두 나오게 되었습니다.
'수화지교'부터 '활혈', '소설', '승청강탁', '선폐', '숙강', '신정' 등
앞에서 배운 몸의 원리들이 병(病)에 적용되는 상황이 조금은 보이시나요?
이 원리를 이해하기 위해 지금껏 3+1의 내용을 길게 공부한 것입니다.

병원에서 흔히 말하는 "신경성입니다."
이러한 막연한 설명, 어떻습니까?

02.
울화병 처방

울화병이란 때문에 나타나는 여러 결과들. 예를 들면,

어떤 사람은 변비나 설사, 소화불량, 가스,

어떤 사람은 기침을 하고, 목이 답답하고 뭔가 걸린 듯할 것이고,

어떤 사람은 뒷목이 당기고 편두통이나 탈모, 이명이 날 수도 있고,

어떤 사람은 얼굴에 열이 오르락내리락하고, 눈이 건조할 수도 있고,

어떤 사람은 월경이 불규칙해지거나, 자궁에 근종이 생겨버릴 수도 있고,

어떤 사람은 고혈압 판정을 받아 혈압약 복용을 시작할 수도 있고,

어떤 사람은 임파선이나 유방에 종양이 생겨 수술할 수도 있는 것.

이런 병들은 모두 결과적인 문제입니다.

이러한 증상들의 제거도 치료를 위해서는 아주 중요한 수단이지만,

☯ 더욱 중요한 것은 이런 병들이 나타나는 몸의 불균형을 이해하는 것.

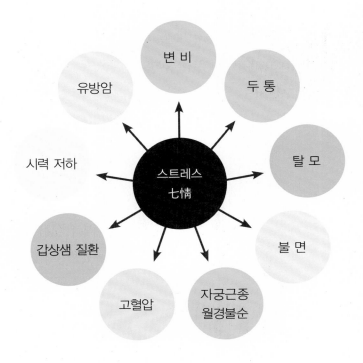

[그림 54]

　저런 병들이 왜 내 몸에 발생하게 되었는지, 기초 편에서 당장 설명할 수 없음이 참 안타깝습니다.

　허나 책이 마무리되어가는 짧은 시간에 되도록 핵심적이면서도 일상에서 응용하기 쉬운 핵심 처방, 5가지 이름만이라도 들어보도록 하겠습니다.

:: 대시호탕

대시호탕을 보며
'소설'에
적용해봅니다.

울화병 첫 번째, 처방 설명입니다.

스트레스의 기본 베이스는 앞서 설명했듯이 바로 간(肝).

☯ 간의 주요 기능인 소설과 활혈의 불균형 발생이 1차 키 포인트!

〈대시호탕〉

스트레스로 인해 소설작용이 실조되어 간의 흐름이 울체 되고,

간기범위 하여 비위의 강탁 기능이 마비되었을 때, 대시호탕을 사용.

이처럼 설명하면 처방공부를 하지 않은 이들은 따라 할 수 없으므로,

기초 편에서는 쉽게 이해할 수 있는 핵심증상 위주로 공부해봅시다.

☯ 강탁 기능 실조, 기(氣)의 울체로 스트레스성 '**변비**' 발생.

☯ 간기범위로 소화의 불량, '**복부의 팽만**'과 더부룩함이 발생하여, 밥을 조금만 먹어도 배가 빵빵해지고, 속이 답답해진다.

☯ 강탁 기능이 실조되어 간의 화(火)가 상승하며 위산(胃酸)도 상승되므로, '역류성 식도염'이 나타날 수 있다.

☯ 간기범위로 위장에 염증이 발생, '위궤양' 등의 현대병명을 진단받을 수 있고, 고혈압, 두통 등은 부수적으로 나타날 수 있다.

복용키 → "스트레스로 배가 빵빵하고 복부가 꽉 막힌 것 같아요. 변비, 잔변감이 있어요." 고혈압의 가능성, 비만 예상.

약 복용법

오전, 오후, 저녁 하루 3회	하루 1회
대 시 호 탕	올리브유 한 숟갈
성인 1회 20g 기준 체격에 따라 15g~25g 조절	대시호탕의 소설 작용으로 인한 장운동, 독소배출력 향상시킴

간의 소설 실조가 정상화되어 복부팽만감과 변비가 좋아지면, 대시호탕의 복용은 중단하시면 됩니다. 통상 증상에 맞게 처방을 복용하였다면 통상 한 두 달 이내 효과가 나타나고 두 달 이내 호전이 있습니다.

훗날 스트레스로, 다시 위와 같은 증상이 나타나면, 대시호탕을 동일하게 복용합니다.

:: 소시호탕

울화병 두 번째, 처방 설명입니다.

☯ 소시호탕은 간의 소설 실조로 인한 불균형을 바로 잡는 가장 기본 처방.

간(肝)에서 소설 실조로 인한 간의 열(熱)의 제거와

간기범위가 된 상태에 1차적으로 사용할 수 있는 키 처방입니다.

참고로 아이들이나 성인이 감기가 지속되어 몸에 힘이 있다가 없다가,

미열이 났다 안 났다가, 밥맛이 없고, 심하면 약간 메슥거리기도 할 때 주로

사용합니다. 이런 감기 증상에 소시호탕이 아니면 참 곤란하죠.

소시호탕 이 외에 딱히 다른 방법을 떠올린다면 그냥 몸으로 견디는 것!

몸이 회복될 때까지 그 고통을 참는다는 것은 참으로 무식한 일이지만,

상황에 적합하지 않은 수단으로 증상을 차단하는 것보다는 차라리 몸이 회복할 때까지 참고 기다리는 것도 그리 나쁘지는 않죠? 그래도 몸의 전투능력은 길러지니까요.

〈스트레스에 관한 소시호탕의 응용법〉

☯ 스트레스, 감기가 동반되어 미열, 춥다가 열이 나고, 식욕저하 등
⇒ 소시호탕 20g 전후, 어린이는 10세 기준 10g
어린이 감기에 손발이 더 뜨거운 것 같고 학질처럼 열이 오르고 내릴 때는,
⇒ 소시호탕 5g + 향사평위산 5g

☯ 스트레스로 복부에 가스가 잘 발생할 때는,
⇒ 소시호탕 8g + 계지가작약탕 8g

☯ 스트레스로 편도선이 붓고 아플 때는,
⇒ 소시호탕 8g + 은교산 8g

과립제로 생산되는 처방입니다.

스트레스로 편도선이 부었을 때, 혹은 중이염이 발생했을 때, 혹은 복통이 있고 가스가 찰 때, 스트레스로 뒷목이 당기거나 두통이 지속될 때도, 소시호탕은 필수 처방조합으로 사용된답니다.

약은 주위 한약국, 약국, 한의원에서 쉽게 구할 수 있습니다.

:: 가미귀비탕

근심, 걱정,
내성적이고
허약한 사람에게.

울화병 세 번째, 이번에는 가미귀비탕이란 처방입니다.

내성적인 사람, 많은 여성들의 근심과 걱정.

근심과 걱정이 지속되면 비위도 근심, 걱정으로 일을 제대로 못 합니다.

이를 '비주사(脾主思)'라고 하는데요. 과도한 생각과 근심은 비위와 연관이 있다는 의미로, 근심이 과하면 비위의 건강에 좋지 않답니다. 만약, 소음인처럼 비위가 약한 사람이 근심, 걱정을 지속하면 비위가 약해지고, 영양생성이 미흡하게 되겠죠? 그것이 결국 심장에 영향을 미칠 때 복용합니다.

〈가미귀비탕〉

근심, 걱정으로 인해 비위 기능이 실조되어 비위에서 심장으로의 영양 전달이 약해졌을 때 가미귀비탕 사용.

생각이 많고, 근심이 많은 사람은 바로 수험생이 대표적입니다.

그래서 가미귀비탕은 공부하는 사람들, 생각을 많이 해야 하는 사람들에게 자주 사용되는 명처방이랍니다.

☯ 영양이 심장으로 전달되지 못해서 '심장이 두근'거릴 때가 많음.

☯ 심장이 허(虛)해지고, 간과 심화(心火)가 더해지며 불안, 짜증.

☯ 정신이 불안하고, '건망증'이 나타날 수 있음.

☯ 꿈을 많이 꾸거나, 선잠, 불면증이 나타날 수 있음.

복용키 → 내성적이고 음적인 사람의 근심과 걱정, 두근거림

· 소양인보다는 '소음인, 비위 약한 사람'

· 생각과 두뇌 활동, 고민이 많은 여성적인 사람의 스트레스에 자주 사용되는 처방.

약 복용법

귀비탕도 참 자주 사용되는 한약처방입니다.
최근에는 귀비탕을 복용한 한 남성의 손톱에 없던 하얀 반달(조반월)이
서서히 올라왔습니다. 이는 귀비탕이 명방이라서 그런 것은 아니죠?
모든 한약 처방은 이렇게 명방이고, 제대로 공부한다면,
누구나 이런 명방을 무기로 소유할 수 있습니다.

:: 분심기음

스트레스로
가슴이 답답,
손과 얼굴이 부을 때.

울화병 네 번째 처방, '분심기음'이란 처방입니다.

이 처방도 아주 훌륭한 처방입니다. 아마 스트레스받는 세상 모든 여성에게 이 분심기음을 다 복용시켜본다면, 그중에 80%는 속 시원하게 효과를 볼 수 있지 않을까, 생각되는 좋은 처방입니다.

"아이고~, 내 팔자야~." 하면서 가슴을 쾅쾅 치는 우리의 어머니들에게 우리 분심기음을 선물해볼까요?

분심기음이 왜 가슴 때리며 화내는 우리 엄마 같은 사람에게 사용되는가?

앞서 '대시호탕은 스트레스로 인해 소설 기능이 실조되어 간(肝)의 흐름이 울체 되고, '간기범위' 하여 비위의 강탈 기능이 마비되었을 때, 사용한다'고 했습니다.

분심기음도 이와 비슷합니다. 허나 그것과의 중요한 차이점은 바로,

〈분심기음〉

· 간에서 시작된 기울(氣鬱)이 바로 심폐(心肺) 영역에 미치는 것.

· 그래서 가슴 사이, 즉 젖꼭지 사이 오목한 곳의 혈(穴)에 기운이 뭉치면서
  명치 위쪽 오목한 가슴이 답답하게 됨. – 전(단)중혈

· 기(氣)의 출발점이 막혀버려 전신의 혈액순환이 정체된 상태로, 주로 오전에
  손과 얼굴이 붓고, 전신이 무겁고 피곤.

· 심장이 두근거릴 때도 있고, 얼굴에 열이 오르락내리락.

· 잔변감 등 대변과 소변이 불리(不利)해질 수 있다.

이제 간단하게 주요 증상만 살펴봅시다.

☯ 울체로 밤에 음식을 먹지 않아도 오전 손과 얼굴 등 '상체부종'

☯ 간기범위로 인해 소화의 불량, 더부룩함, 위염, 역류성 식도염 같은 결과적 병증이 나타날 수 있다.

☯ 가슴 위쪽으로 열이 오르는 느낌. 화났을 때 얼굴이 붉어지는 것. 가만히 있어도 '**상열감**', 자주 화를 내거나, 두근거림, '짜증'

☯ 잔뇨, 잔변감 등 '**대소변이 시원하지 않음**', 선잠, 안구충혈 등.

복용키 → 스트레스로 가슴을 만지면 통증이 있고, 답답해요.

- 오전 손과 얼굴의 부종, 잔뇨감, 잔변감, 소화불량.
- 얼굴에 열이 오르락내리락, 선잠, 짜증.

약 복용법

오전, 오후, 저녁 하루 3회

분 심 기 음

성인 1회 20g 기준
체격에 따라 10g~25g 조절

처방이 적절할 시 평균 1~2개월 안에 부종, 선잠 등 여러 증상이 좋아지고, 3개월 안에 증상이 대부분 호전됩니다.

분심기음은 명현현상도 자주 나타나는 처방입니다.
예를 들면, 약 복용 시에는 생리 전 피로, 부종이 심해질 수 있고, 울체가 심한 경우라면, 약 복용 시 피부가 가렵거나 열감이 날 수도 있습니다.
참고로 분심기음 복용 시, 수분 섭취를 자주 해줘야 합니다.

분심기음이란 처방 속 중요한 약초가 바로 자소엽과 향부자입니다.
특히, 향부자는 여성 질환에 굉장히 자주 사용되는 약초가 된답니다.
향부자는 어떤 특성을 지니고 있길래, 여성에게 묘약이 되는지, 직접 공부해보는 시간도 가져보시기 바랍니다.

:: 반하후박탕

예민, 목이 답답하며
목에 뭐가 걸린 것
같은 증상에.

이제 마지막 다섯 번째, '반하후박탕'이란 처방입니다.

〈반하후박탕〉

간에서 시작된 기울(氣鬱)이 인후부에서 울체(鬱滯) 된 것.
일명 '매핵기'라는 병임.

매핵기가 있는 사람은 목에 뭐가 걸린 것처럼 답답한데, 가래는 잘 나오지
않기 때문에, "음음~."하는 소리를 낼 수 있습니다.

매핵기가 있는 사람은 대부분 신경이 예민한 편입니다.

스트레스가 심해도, 성격이 예민하지 않은 사람들은 매핵기란 병이 쉽게 발
생하지 않습니다. 허나 스트레스가 다른 사람들처럼 정상적 수준임에도 불구
하고 매핵기가 있는 사람은 타고난 성격이 예민한 편이므로, 가족과 주변인은
이를 인지하고 바라보는 것이 관계유지에 도움이 되겠습니다.

그럼 반하후박탕이 필요한 사람의 핵심증상만 살펴봅시다.

> ☯ 목이 답답, '뭐가 걸린 듯한 느낌', 뱉으려 해도 쉽게 배출 안 됨.
>
> ☯ 신경질을 잘 냄, 성격이 원래 예민함.
>
> ☯ 비위가 약하다고 느낄 수 있고, 소화가 잘 안 될 수도 있음.
>
> ☯ 증상을 오래 방치하면 목에서 올라오는 잔기침을 지속할 수 있음.
>
> 복용키 → 스트레스로 인후부에 먼지나 이물질이 끼어있는 느낌.
> · 소화가 잘 안 될 수 있고, 잔기침을 할 수 있다.

☯ "음! 음! 목에 뭐가 걸린 것처럼 답답한데, 잘 안 나오네~."

이럴 때 복용하면 됩니다. 절대적인 것은 아니지만, 통상 무던한 사람보다 좀 마르고 날카로운 사람에게 많이 나타납니다.

* 마른기침이 심하다면, 소시호탕과 자감초탕을 같이 복용합니다.

1개월 이상 복용

오전, 오후, 저녁 하루 3회

반 하 후 박 탕

성인 1회 20g 기준
체격에 따라 10g~25g 조절
스트레스가 심하고 구갈이 있으면 간의 화를 같이 내려줘야 함.

대시호탕, 소시호탕, 가미귀비탕, 분심기음, 반하후박탕.
이렇게 5가지의 스트레스 처방을 살펴보았습니다.

이대로 끝내기 아쉬워 다음 두 가지 처방을 더 보겠습니다.

:: 가미소요산, 온담탕

가미소요산이란 처방입니다.

소요산은 음양(陰陽)의 불균형, 간(肝)의 불균형으로 간(肝)에 화(火)가
발생하고, 혈허(血虛) 증상이 있을 때, 한열(寒熱)이 왔다 갔다 할 때,

3개월 이상 복용

오전, 오후, 저녁 하루 3회

가 미 소 요 산

성인 1회 20g 기준
체격에 따라 10g~25g 조절

쉽게 따라 하려면,

'갱년기 여성이 몸이나 얼굴에 열이 오르락내리락할 때'

'갱년기 때, 혹은 스트레스로 기분 변동이 심한 상태'에

무난하면서도 많은 도움이 될 수 있는 처방입니다.

전문적으로 설명하자면, 소요산은 중초의 체액 분포 정상화를 통해 상·하의 불균형을 해결해주는 명방입니다. 여기서 '상·하의 불균형'이란 뜻을 깊이 고민해보시기 바랍니다.

이제 마지막 온담탕입니다.

심장이 두근거리며, 공황장애 같은 병증의 발생.

다크써클이 심하고, 가위눌림, 놀람, 두려움 이럴 때에는 온담탕.

쉽게 파악할 수 있는 체크포인트는 바로 눈 밑의 다크써클과 두근거림,

혹시 뒷날 공부하게 될 처방 편을 예습한다 생각하고,

온담탕이란 처방을 간단하게 이해해봅시다. 천천히 음미하며 읽어보세요.

☯ 온담탕(溫膽湯)

1. 비위의 불균형으로 담음(痰飮)이란 찌꺼기가 많이 생성된 몸 상태.

2. 여기에 스트레스로 소설작용이 제대로 이루어지지 않게 되어, 간의 화(火)가 역상할 때, 비위의 담음(痰飮)도 같이 역상함.

3. 간을 공격한 스트레스 울화는 오장 중, 군주인 심장까지 공격.

4. 그렇게 비위에서 올라온 담음은 심장으로 향해 심장의 장애를 유발, 심장의 불균형으로 신(神)의 불안, 두근거림, 놀람, 다몽(多夢), 가위눌림, 공황장애 등의 병증이 나타날 수 있음.

그래서 온담탕의 처방 구성은?

1. 간담(肝膽)의 소설 실조를 정상화하여 승청과 강탁의 기능을 바로 하는 것이 핵심으로, 그 중심에는 시호와 지실이라는 본초가 있습니다.

2. 두 번째, 비위의 담음(痰飮)을 제거하고 담음(痰飮)이 심장으로 못 올라오도록 막아주는 본초들로 구성됩니다.

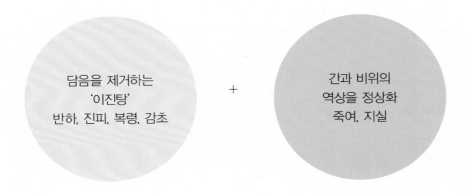

담음을 제거하는
'이진탕'
반하, 진피, 복령, 감초

+

간과 비위의
역상을 정상화
죽여, 지실

[그림 55] 온담탕

온담탕의 복용사례를 살펴봅시다.

엄마가 옆에 없으면 잠도 못자고, 낮에도 항상 불안해하던 8살 남자아이.

엄마나 할머니 옆에서 떨어지지 않던 아이가 온담탕과 귀비탕을 복용하면서, 혼자서 잠도 잘 자고, 낮에도 잘 노는 등 불안 증상이 많이 사라졌습니다.

온고이지신(溫故而知新)처럼, 온담탕의 온(溫)은 바로 세운다는 의미로,
스트레스로 인해 발생한 간담(肝膽) 불균형을 바로 세워 주는 처방이 바로
'온담탕'이 되겠습니다.

여기서 간담(肝膽)을 바로 세운다는 것은 바꿔 말하면,
무너진 간(肝)의 '소설 기능'을 바로 세워준다는 뜻이 되겠습니다.

증상이 호전될 때까지 복용합니다.

오전, 오후, 저녁 하루 3회

온담탕 + 가미귀비탕

성인 1회 각 10g 기준
체격에 따라 10~25g 조절

혹, 뒷날 기회가 되어 처방 편, 질병 편이 출간된다면, 그때 이러한 처방의
원리와 병증의 원인에 대해 좀 더 자세히 공부해보도록 하겠습니다.

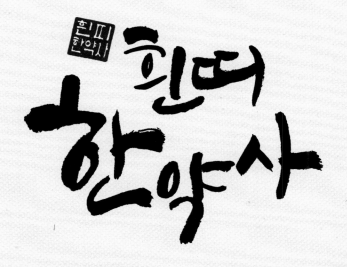

Ⅱ_ 비염, 콧물

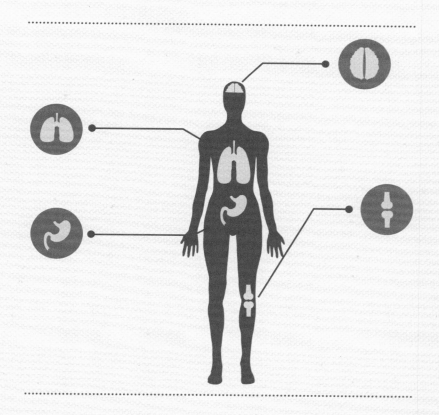

01.
비염의 원인

어느 날 감기 몸살로 쌍화탕을 조제 받았습니다.
  그런데 다리에 쥐가 잘 나는 사람에게도 쌍화탕을 조제 해주는군요.
다음날은 어떤 어르신의 변비에도 쌍화탕을 주는군요.

입문 편에서 '동병이치, 이병동치'를 공부하신 분이라면, 이해되시죠.

☯ 증상이 달라도 원인이 같다면, 같은 약– 이병동치
☯ 증상이 같아도 원인이 다르면, 다른 약– 동병이치

지금 비염치료약을 소개하기 전 왜 이런 설명을 하는 것일까요?
비염, 축농증, 부비동염, 편도선염, 중이염, 폐렴, 모세기관지염,
이럴 때 우리 모두 소염제와 항생제를 복용하는 것이 바로 '이병동치'의 원리
는 아니겠죠?

병의 치료 시, 표(表)와 본(本)을 정확히 파악하고 약을 사용해야 합니다.

그 표(表)와 본(本)에 따라서 다른 병증(病症)에 같은 처방이 사용될 수도 있고, 같은 병증(病症)에 다른 처방이 사용될 수도 있었습니다.

그리고 병의 표증(表證)이나 1차적 원인을 없애주면, 몸은 스스로 회복을 해나갑니다. 허나 그 회복을 빨리하고, 더욱 완전한 치료를 위해서는 항상 그 치료의 마지막이 있어야 합니다.

그것은 사소한 감기, 콧물, 기침, 음식에 체한 것 등 가벼운 질병들부터, 디스크, 고혈압, 갑상선, 아토피, 심장질환, 뇌 질환 등 무거운 질병까지! 대부분의 병증에 적용되는 중요한 개념입니다.

예를 들어, 기침에 관련된 처방만 해도 참으로 많습니다.
기침을 심하게 하는 아이에게,
삼소음이란 처방을 사용해야 할지, 맥문동탕이란 처방을 사용할지,
마행감석탕, 청상보화환, 행소탕이란 처방을 조제 해야 할지,

한약은 동일한 증상인 '기침' 하나에도 원인에 따라 수많은 처방들이 사용될 수 있습니다. 허나 지금 우리의 목표는, 이렇게 수많은 처방들을 판단하고 사용할 수 있어야 한다는 것이 아닙니다.
지금 우리가 더욱 중요하게 목표해야 하는 것이란?

· 만약, '선발숙강'이라는 기능에 불균형이 나타났을 때?

  1. 내 몸에 발생할 수 있는 몸의 현상들은 무엇인지,

  2. 왜 그런 현상이 내 몸에 나타나는지 그 원리를 이해하는 것이 핵심.

몸의 근본 원리를 이해하는 노력보다 겉으로 나타난 증상과 병증 차단에만
집중하는 처방이나 치료법은 한계가 있습니다.

증상에 따른 약의 사용으로는 수많은 병들을 보고, 당황하게 됩니다.

뿌리를 놓친 치료는 수많은 병명만 양성할 뿐이죠?

하나를 알면 열 가지를 알 수 있다는 속담처럼,

우리가 공부하는 한약도 이와 똑같답니다.

하나의 원리를 제대로 터득하는 것이 중요합니다.

☯ 한약 공부의 가장 큰 특징은, 하나를 알면 열 가지를 볼 수 있습니다.

:: 콧물, 알레르기 예

비염을 정복하기 위한 한약 처방은 크게 표면적인 원인과 근본적인 원인, 두 경우로 이해하여야 합니다. 표(表) + 본(本)이 됩니다.

☯ 콧물, 코막힘, 재채기 등 표증(表症)은 서로 다른 모양일 수 있지만, 비염의 본(本)은 신허(腎虛)라는 하나의 뿌리로 귀납 됩니다.

그럼 우선 비염이라는 병증, 콧물이 흐르는 몇 가지 경우를 살펴봅시다.

실제 예 1)

6세 어린이가 음식을 과하게 먹거나 잘 못 먹었음.

오후부터 갑자기 열이 나고 배가 아팠음. 시간이 지나 설사도 하였음.

열이 떨어지고 설사는 멈추었으나, 그 뒤로부터 기침을 자주 하고 콧물을 흘리기 시작함.

실제 예 2)

한 35세 여성이 춥게 잠을 자거나 찬 공기에 노출되면 콧물을 흘림.

며칠 지속됨. 병원에서는 알레르기약을 처방해줌. 이 여성은 환절기, 피곤할 때, 날씨변화 등에 수시로 알레르기약을 먹음.

실제 예 3)

한 40대 남성. 과음 및 방사로 최근 피부 가려움과 알레르기 비염증상이 극심해짐. 병원에서는 한약을 절대 먹지 말라고 해서 못 먹음.

실제 예 4)

38세 여성. 먼지, 꽃가루 등에 민감하여 콧물 등 비염증상이 지속됨.

수시로 히스타민 등을 수년간 반복 복용 중임.

실제 예 5)

45세 남성. 사업 스트레스, 수면부족으로 2년 전부터 비염과 알레르기가 심화되어 병원 약 복용 중, 사회생활이 힘들 정도로 알레르기와 비염이 심함.

위와 같이 똑같은 비염과 알레르기라도, 병의 발생이란 다양한 원인과 상황에서 나타나게 됩니다.

- 첫 번째는 아이의 경우는 음식으로 인한 것
- 두 번째는 여성은 한사(寒邪)로 인한 것
- 세 번째는 과음와 방사과다로 인한 것
- 네 번째는 먼지 등 외부자극에 의한 것
- 다섯 번째는 스트레스와 수면 부족으로 인한 것이죠?

그럼 **첫 번째**는 식상(食傷)을 해결해주는 처방이 사용되어야 할 것이고

두 번째는 폐(肺)에 침입한 한사(寒邪)를 물리치는 처방이 필요할 것이고

세 번째는 방사과다에 사용하는 처방이 사용되어야 할 것이고

네 번째는 꽃가루 등 외부의 자극에 맞서는 처방들이 좋을 것이고

다섯 번째는 간(肝)을 돕는 처방이 필요할 것입니다.

:: 콧물, 비염은 결과적 상황

위의 예를 다시 한번 봅시다.

1번. 아이들에게 아주 많이 나타나는 상황으로, 주로 해열제만 찾죠?

식상(食傷)에 의해 몸의 균형이 무너지고 오한 발열, 콧물이 납니다.

우선은 식상(食傷) 해결을 위해 향사평위산이나 곽향정기산, 도씨평위산

같은 처방들이 가장 기본무기가 된답니다.

2번. 찬 기운으로 인해 콧물이 나죠?

한사(寒邪)를 몰아내 주고, 움츠려져 있는 폐를 정상화시켜야 합니다.

폐를 펼쳐주고, 정체된 수분해결을 위해 소청룡탕이란 처방이 필요합니다.

3번. 잦은 과음 후 방사 허로로 인한 콧물입니다.

방사(房事) 후 허로(虛勞) 감기에는 쌍화탕이란 처방이 명약이었죠?

이 분은 이렇게 몸의 근본 에너지를 고갈시키며, 면역체계를 무너뜨리고는 "어? 왜 몸이 피곤하지? 알레르기 수치가 높아지고, 비염이 오고, 허리가 아프네." 걱정하며, 여러 병원에서 MRI부터 수없는 검사를 했습니다.

이런 안타까운 경우에는 몸에 적합한 한약처방이 더욱더 필요하겠죠?

4번. 먼지, 꽃가루, 진드기, 세균 등 외부 자극에 의한 알레르기죠?

면역력을 높여줄까요? 면역력이라고 하니, 면역력의 대명사 홍삼이 생각나네요. 홍삼도 우리 몸의 일차 방어력을 강하게 해주므로 면역력 증강에 큰 도움이 될 것입니다. 이렇게 외부 자극에 대한 방어력을 높이는 일!

이렇게 홍삼으로 위기(衛氣)를 보강하는 것은 1차 방어력, 표(表)의 개념.

그럼 근본방어력은 무엇입니까?

5번. 스트레스와 기혈(氣血)이 쇠약해진 만성피로?

아니면 간(肝)의 승청이나, 기혈회복에 관련된 처방도 필요할 것입니다.

보중익기탕이 우선 떠오르는군요. 허나 여기서도 더욱 중요한 것은 바로,

몸이 쇠약해진 만큼 그 근본보강을 병행해주는 것.

위와 같은 평위산, 소청룡탕, 쌍화탕, 보중익기탕 등을 자유자재로 사용할 수 있는 실력도 너무나 중요합니다. 그러나 오직 표(表)에만 집중하다 보면, 건강한 육체를 유지하는 것이 정말 어려운 일이 되어버립니다.

왜냐하면, 근본은 보강되지 않고 있으므로, 몸은 또 다른 공격에도 수시로 무너지게 되고 병은 다양하게 발생하게 되기 때문입니다.

그래서 소염제는 물론이고, 비염과 알레르기에 자주 사용한다는 소청룡탕, 갈근탕천궁신이를 아무리 오래 써도 비염을 쉽게 극복할 수가 없는 것입니다. 이렇게 표(表)를 해결하는 처방들만으로는 비염, 알레르기와 오랜 시간 이별하기에는 뭔가 약간은 부족한 방법인 것입니다.

비염과 되도록 오랜 시간 이별하기 위해서는 어떻게 해야 할까요?

:: 비염의 원인은?

위의 예를 분석해봅시다.

첫 번째, 식상(食傷)입니다.

아이가 주로 인스턴트 음식을 먹고 난 다음 날 왜 콧물이 날까요?

☯ 비염치료의 중심에는 '명문화'가 있습니다.

음식을 소화시키는 핵심에는 바로 명문화가 핵심이었습니다.

아이들은 오장육부가 아직 미성숙한데, 소화시키기 힘들고 농약, 호르몬, 항생제 등이 포함된 단백질이나 밀가루 등이 들어오면 그것을 소화하기 위해 몸은 무척 힘이 들게 됩니다. 즉, 잘못된 음식을 섭취하게 되면, 근본 에너지가 급격히 소멸한다는 것입니다. 이렇게 근본 에너지가 쇠약해지면, 폐(肺)에서는 어떤 현상이 일어날까요?

생리·병리 편을 예습해보는 겸, 이 경우만 자세히 공부해보겠습니다.

아래의 1번부터 5번까지를 집중해서 보세요.

1. 음식에 체하는 것은 명문화가 쇠약해도 잘 체하고, 음식에 체하면 또 명문화가 급격히 소멸되어 버립니다. 닭과 달걀의 관계와 비슷하죠?

2. 음식의 소화 자체에 명문화는 소모되지만, 과식, 폭식, 폭음, 차가운 음식, 인스턴트 등은 명문화를 급격히 소모시킵니다. 그럼 부족해진 명문화는 몸의 다른 곳을 자양해줄 수 없죠. 예를 들면, 폐나 허리 등등.

3. 폐(肺) 역시 명문화의 공급이 부족해져, 결국 폐의 중요한 기화 작용이 실조되게 됩니다. 그리고 '선폐' 작용도 미흡해져 결과적으로 폐의 기능이 상실되면서, 정체된 수분이 콧물로 나타날 수 있습니다.

4. 또, 비위에 정체된 음식 찌꺼기는 막히고, 부식(腐食)되며 위(胃)에 열(熱)을 발생시키는 경우도 있습니다. 그렇게 발생한 열(熱)은 위쪽의 민감한 폐(肺)를 공격합니다. 그럼 결국, 폐의 '선발숙강' 작용이 실조. 여기에 비위에서는 음식의 체(滯)로 인한 기(氣)의 역상(逆上)과 폐의 '숙강' 기능 실조로 인해 비위에 잠재되어 있던 담음(痰飮)이 역상 하게 되고, 이로 인해 '가래 기침'이 발생하게 됩니다.

5. 결국, 이렇게 부족해진 명문화로는 폐(肺)의 정상화가 힘이 듭니다. 폐에 작용하는 처방 하나로는 비염을 정복하기 힘든 상황입니다.

소화불량으로 인해 명문화가 고갈된 상황입니다.

그런데 이런 몸 상태가 지속된다면 과연 지금 나타난 콧물과 비염만 문제가
될까요?

식상을 해결해주고, 명문화를 보강해주지 않으면, 뒷날 잦은 감기, 고열, 편
도선염, 중이염, 비염 등 각종 염증에 아토피, 관절통 같은 여러 만성병까지
나타날 수 있습니다.

:: 콧물의 원인 2

두 번째는 추운 날 폐가 찬 기운에 얼어버려, 선폐 기능이 실조되었고,
명문화는 얼어버린 폐를 녹이기 위해 노력하고 있는 상황이 되겠습니다.

세 번째 경우, 잦은 방사(房事)는 신정(腎精)을 급격히 소모시킵니다.
그럼 이것도 그 근본 원인이 위의 예들과 대동소이하죠?
이때 현명한 것은, 방사 전후로 신장 에너지를 급격히 보강해주는 방법이
병행되어야 근본 에너지 고갈을 최대한 막을 수 있습니다.

4번과 5번의 예는 위의 3 경우보다 그 치료기간이 더 길어집니다.
이런 사람들은 신정(腎精)과 명문화가 만성적으로 고갈된 상태입니다.
아마 작은 진드기, 먼지에도 과민하게 반응할 수밖에 없을 겁니다.
왜냐하면, 그들이 침입하면 잘 막아낼 자신이 없는 몸이니까요.
진드기 한 마리라도 몸 안으로 들어오면 막아낼 자신이 없어 겁이 나므로,
이목구비부터 과도하게 분비물이 나오며 싸움을 시작할 겁니다.

편도선이 자주 붓는 사람도 동일한 원인이 되겠습니다.

편도선도 외부적 방어의 1차 방어선이죠? 나라에 돈이 없어, 국방력이 아주 약한 상태라고 가정합시다. 그럼 국경에서 우리를 만만하게 보는 적에게 자주 공격을 당할 수도 있습니다.

근본 방어력이 약해서 최전선인 편도선이 매일 붓고, 고생하고 있습니다. 그런데 이렇게 불쌍하고 죄 없는 편도선을 그저 잘라만 낸다고 우리 몸이 건강해질까요? 이런 사람들은 감기도 자주 걸릴 것은 명약관화입니다.

세균, 바이러스의 좋은 먹잇감이 될 뿐입니다. 근본방어력이 꽝이니까요.

편도가 자주 붓는다고 편도를 제거하는 방법은 마치, 국력이 약한 나라에서 최전방 경계부대를 모두 없애버리는 것과 비슷한 상황입니다.

이 방어력의 핵심이 무엇인지는 다들 이해하셨을 겁니다.

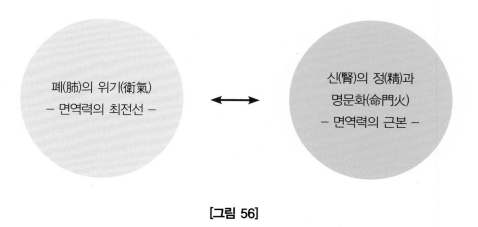

[그림 56]

이렇게 편도가 부은 상황에서 소시호탕, 은교산을 사용하여 그 증(症)을 해결해주는 것은 편도선을 잘라내 버리는 것과는 비교할 수 없이 훌륭한 능력이죠? 허나 그것과 더불어 필수적으로 병행되어야 하는 것은 무엇입니까?

음식을 과식하거나 찬 음식을 먹었어도 명문화가 쇠약해지지 않은 사람은 콧물이나, 비염, 알레르기 증상이 쉽게 나타나지 않습니다.

차가운 산속에서 낙엽만 덮고 잠을 자더라도, 명문화가 충만한 사람에게는 콧물, 비염증상이 쉽게 나타나지 않습니다.

봄철 꽃가루가 날리고, 먼지가 많은 곳에 근무하더라도 신장 에너지가 충만한 사람은 약간의 콧물, 재채기는 있을 수 있을지언정, 비염증상이 쉽게 나타나지 않습니다.

물론 세상에 유전자 변형, 오염된 음식들만 있어 그것만 먹어야 하거나,
빙하기가 오거나, 중국 미세먼지가 극도로 심각해지는 경우 등
그런 극단적 상황이 아닌 세상에서 우리는 그저 근본에 충실하면 됩니다.
신장 에너지의 충만이라는 그 간단한 방법이 바로, 병을 최소화할 수 있는 지름길이자 비밀의 열쇠이기 때문입니다.

:: 치료는 표(表) + 본(本)의 불균형 해소

환절기에 감기환자가 증가하는 이유는.

　인생에서 신장 에너지가 항상 충만하게 유지하는 것은 대부분 사람들에게 어려운 일이라 했습니다. 노화도 피할 수 없는 일입니다.

　이러한 이유로 인해 병(病)은 우리 인생에 적이라 할 수도 있고, 어쩌면 그림자 같은 동반자라 말할 수도 있습니다.

　육체가 존재하는 한, 우리를 괴롭히는 병을 완전히 없앨 수는 없습니다.

　허나 병이 우리의 적이 되어서는 안 됩니다.

　☯ 병은 우리 삶을 조심스럽게 이끌어주는 동반자가 되어야 합니다.

오래된 비염과 알러지 증상이란 바로

명문화 부족이라는 하나의 큰 뿌리에서 발생한 여러 가지들로,

그 사람의 몸과 상황에 따라 어떤 사람은 코에, 어떤 사람은 방광에,

또 어떤 사람은 갑상샘에, 임파선에, 귀에도 병증이 발생할 수 있습니다.

병증(病症)이란?

사람의 상황에 따라, 장소와 표출방법만 다양하게 나타날 뿐.

환절기 때 비염, 감기환자가 늘어나는 이유는 무엇일까요?

날씨가 추워져서? 기온이 약간 영향을 줄 수는 있겠지만, 오히려 날씨가 따뜻해지는 '겨울에서 봄이 되는' 환절기에도 '가을에서 겨울'로 바뀌는 환절기 이상으로 감기환자가 증가합니다.

기온변화와는 큰 상관이 없습니다. 환절기에 감기나, 비염환자가 늘어나는 가장 핵심이유는 바로, 환절기는 사람의 몸도 바뀌는 시기입니다.

☯ 중요한 것은 이렇게 사람의 몸이 바뀌는 환절기에는 근본 에너지가 아주 많이 소모된다는 것.

이 변화를 위한 에너지 역시 신장 에너지가 핵심이 됩니다.

환절기에 우리의 몸을 적응시키고 변화시키기 위해서 신정(腎精)과 명문화가 급격하게 소모됩니다. 그다음의 상황은 위의 내용과 대동소이합니다.

오행(五行)으로 적용하자면, 환절기는 오행상 토(土)에 속하는 계절이므로 토(土)의 기운이 왕성해집니다. 그래서 상대적으로 수(水)를 극(克)해버리는 상황이 나타나게 됩니다. 즉, 토극수(土克水)가 되죠?

이러한 오행의 원리도 중요하지만, 근본은 위와 같은 우리 몸의 원리!

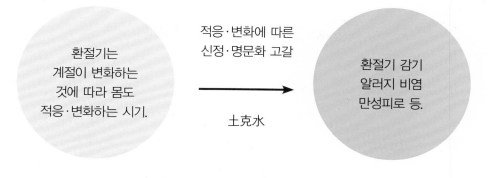

[그림 57]

우리 오장 중 수(水)에 해당하는 것은 신장이었습니다.

이러한 이유로 인해 신장이 약한 어르신들은 사계절 다 조심해야 하지만, 특히 겨울과 환절기를 잘 넘기도록 주의해야 한답니다. 참고하세요.

02.
비염 정복 처방

비염과 알레르기를 정복하기 위해서는, 1차 원인인 표(表)의 문제 해결, 명문화인 본(本)을 동시에 고려하는 적합한 처방조합이 필요하겠죠?

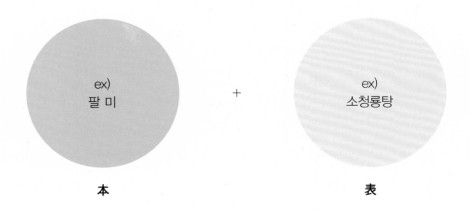

[그림 58] 〈표 + 본〉 예

이러한 조합이 기본 뼈대가 됩니다.

여기서 사람에 따라 달라지는 것은 주로 표(表)와 관련된 처방이 되겠죠? 비염이 발생하는 원인에 따라 적절하게 처방을 사용해준다면, 아마 비염 같은 병들은 그 효과와 치료율이 굉장할 것입니다. 허나 여기서 사람에 따른 근본 처방 및 모든 표증(表證)들을 살펴볼 수는 없고, 자주 발생하는 표증(表證)의 치료법에 대해서만 간단히 살펴보겠습니다.

☯ 중요한 것은, 비염이란 병증의 근본 핵심은, 바로 명문화의 쇠약!

우리 몸에 명문화가 충만하게 유지된다면 비염, 알레르기는 충분히 극복할 수 있는 것입니다. 뒷날 여러분의 공부가 쌓여 명문화를 각자 몸 상태에 맞게 잘 보강해줄 수 있는 실력가가 되시길 기원합니다.

:: 비염 처방 1

비염정복 처방을
살펴봅시다.

하루 3회

소청룡탕 + 오령산

큰 체격 각 10
17세 이상 각 8
만 10세 이상 각 5
만 4세 이상 각 3
만 2세 이상 각 2

1. 찬 기운에 일차적으로 흐르는 맑은 콧물에 바로 사용합니다.
초기 잘 적용되면 빠른 시간 내 콧물이 줄어들게 됩니다.

2. 이 복용시기를 놓치면, 증상이 복잡해질 수 있으므로 한(寒)에 의한 콧물이라면 바로 복용시킵니다.

3. 이 처방을 4~5일 정도 복용한 뒤, 바로 뒤에 소개되는 3번 처방을 이어서 복용합니다.

콧물이 흐르는 동안, 과로나 잦은 방사, 수면부족, 공복에 냉수, 폭식, 폭음, 과로 등을 주의하여야 그 회복의 시간이 빨라집니다.
만 2세 이하도 복용해도 좋으나, 용량과 그 증상에 주의해야 하므로 전문가의 도움을 받으시기 바랍니다.

처방의 간단한 설명으로, 그 설명은, 단순히 '소청룡탕은 콧물, 비염' 이런 것이 아니라 처방이 우리의 생리·병리에 적용되는 원리입니다.

☯ 소청룡탕이란 처방은?
폐의 움츠림을 해결해주고 한사(寒邪)를 내보내는 '선폐'의 역할입니다.
콧물, 알레르기 등의 치료에 가장 많이 처방되는 처방이 바로 이 소청룡탕.

☯ 오령산이란 처방은?
신장, 방광에서의 기화 작용의 문제점을 해결하고 정체된 수분을 정상화.

참고로 기화 작용의 정상화를 통해 정체된 수분을 처리해주니까, 부종이나 구토, 어지러움 등 다양한 증상에 사용될 수 있는 처방이랍니다.

약의 용량은 나이보다는 체격에 비례하는 것이 더욱 좋습니다.

용량은 위의 것이 절대적이지 않습니다. 성인 평균을 기준으로 잡고, 본인 체격에 따라 양을 조절하면 됩니다.

* 위의 처방은 맑은 콧물이 흐르는 알레르기나 비염을 위한 가장 기본적이며 효율적인 처방입니다. 초기 치료의 시기를 놓치고 엉뚱한 약물이 지속적으로 들어가니, 뒷날 아이들의 면역체계가 무너지고 병이 잦아지는 것입니다.

단, 2세 이하 어린이는 복용 시 처방 용량의 주의가 필요하고, 그 병증 원인이 아주 다양하고 민감하기에 책을 통한 설명으로는 그 한계가 있으므로, 주변 전문가의 도움을 받으시길 권합니다.

:: 비염 처방 2

<table>
<tr><td>하루 3회</td></tr>
<tr><td>육미 + 쌍화탕</td></tr>
<tr><td>성인 각 10g</td></tr>
</table>

1. 성인은 방사(房事) 후에 비염 알레르기 증상이 발생하는 경우가 많습니다.
이럴 때는 어떤 감기약, 알레르기약보다 쌍화탕이 명약이 됩니다.
잠자리 전후로 위 처방을 복용해주면 좋습니다.

2. 방사 후 복용시기를 놓치면 비염, 몸살감기, 요통, 만성피로가 나타날 수 있습니다. 일주일에서 보름 정도 복용해줍니다.

3. 그 뒤에는 자신의 몸 상태에 따라 근본을 보강해주면 됩니다.

:: 비염 처방 3

하루 2회

팔미 + 청심연자음

성인

팔미 12g 청심 8g

만 10세 이상

육미 5g 청심 5g

첫 번째와 두 번째 처방을 복용하여 콧물이 약간 줄어들면 멈추지 말고 위 처방을 3개월만 이어서 복용합니다.

10세 이하 어린이는 전문가의 도움을 받습니다.

:: 아이들의 콧물

아이들 건강의
핵심은?

찬바람에 의한 선폐의 실조로, 맑은 콧물이 갑자기 발생했을 때는
소청룡탕, 오령산만 잘 복용해도 흐르던 콧물이 며칠 내 사라져 버립니다.
그리고 가장 중요한 것은 평소 신장 에너지가 충만한 상태를 유지하는 것이
죠? 그건 건강을 위한 가장 기본적이고 핵심적인 요소!

신정과 명문화가 충만하면 빈번하던 감기도 확 줄어들 수밖에 없습니다.
그런데 갑자기 우리 아이가 발열이나 콧물이 나타난다면, 그 원인은 앞서
언급했듯, 식상(食傷)인 경우가 많습니다. 아이들은 아이스크림 단 하나에도
복통과 콧물, 기침, 오한 발열, 복통을 호소할 수 있다는 것.

내상외감은 과식, 찬 음식, 치킨, 오래된 밀가루, 케익 등을 과하게 먹었거
나 찬바람에 뛰어놀다가 갑자기 음식을 먹은 경우, 혹은 반대로
음식을 먹고 바로 찬바람 맞으면서 놀았을 때 많이 발생한다고 했죠?
☯ 현대의 아이들 비염이나 감기는, 상한(傷寒)이나 바이러스보다도 음식으
로 인한 내상외감의 비율이 훨씬 크다는 것을 꼭 명심해야 합니다.

그래서 아이들 건강을 위한 핵심은,

평소 몸 상태에 적합하게 근본을 보강하여 찬바람, 바이러스 등의 공격에 쉽게 무너지지 않도록 유지하면서, 수시로 내상외감을 해결해주는 것!

결국, 정리하자면,

1. 평소 아이의 신정과 명문화를 충만하게 유지하는 선천지정 보강과

2. 비위(脾胃)를 튼튼히 하고, 내상외감을 최소화하는 후천지정의 건강.

결국, 1번의 개념은 선천지관, 2번의 개념은 후천지관의 보강이 되죠?

아이들은 이렇게 선천과 후천, 양방향을 잘 조율해주는 것이 바로 건강한 성장을 위한 핵심이 됩니다.

이렇게 근본 원인을 위해 노력한다 하더라도 어른들보다는 훨씬 예민하고 연약한 것이 바로 우리 아이들 몸이랍니다. 그런데 저런 간단한 상황에서도 몸의 상황에 적합하지도 않은 치료방법으로, 우리 아이들이 고생하는 것을 보면 너무나 안타깝지 않습니까?

어린이들은 몸의 불균형을 최소화하는 것이 바로 성장을 돕는 것입니다.

몸에 불균형과 그로 인해, 비염, 기침, 폐렴 같은 여러 병들이 지속된다면, 그 병증으로 인해 아이의 신장 에너지가 성장에 집중되지 못하게 됩니다.

그럼 결국, 성장과 발육에 사용될 에너지가 부족해진다고 공부했었습니다.

☯ 우리 아이들에게, 이 사회에 다른 무엇보다 가장 먼저 보급해야 할 약이나 건식이 바로, 이러한 '선천과 후천의 원리'가 담겨 있는 아이 보약일 것입니다.

아이들이 갑자기 콧물과 열이 나는 것의 80% 이상이 내상외감인 것을 꼭 명심해야 합니다. 외출 후 통닭을 먹고 콧물에 중이염이 발생하는 아이에게 해열제 소염제보다 곽향정기산이나 향사평위산이 명약임은 앞에서도 수차례 언급했습니다. 음식이 주요 원인인 내상외감도 넓은 의미의 감기로,

위와 같은 내상외감의 상태에서, 독감에 사용되는 타미플루를 복용하면 어떻게 될까요? 이 시점에서 우리는 감기의 정의를 제대로 이해할 필요가 있습니다. 간단하게 감기의 개념을 공부해봅시다.

양의학에서 감기는 감기 바이러스가 원인이라고 설명합니다.

혹은 찬 기운인 한사(寒邪)의 공격으로 인한 상한(傷寒)병을 통상적인 감기라고 인식합니다. 두 설명 모두 맞는 말입니다만,

감기라는 것의 큰 정의란 무엇일까요?

:: 감기의 정의

감기를 정복하는
핵심 키는?

우리 몸은 균형을 유지할 때 건강하고, 그 균형이 무너지면 병이 옵니다.

우리 몸의 균형은 바이러스나 찬바람에 의해서 무너질 수 있습니다.
우리 몸의 균형은 습하고 건조한 기운에 의해서도 무너질 수 있습니다.
음식으로 인해 우리 몸은 균형을 잃고, 감기 몸살증상이 나타날 수 있고,
방사과다로 인해 몸의 균형이 무너지면 감기 몸살로 고생할 수 있으며,
앞에서 배운 스트레스로 인해서도, 역시 감기 증상이 나타날 수 있습니다.

명문화가 약한 사람은 어떻게 될까요?
찬바람에 감기 오고, 맥주와 치킨에 무너지고, 스트레스에 또 무너지고,
하루 이틀 무리해서 또 감기에 걸리고, 월경한다고 또 무너집니다.
결론적으로 수시로 아픈 사람이 되는 것입니다.
그래서 감기라는 것의 큰 의미는,

☯ 즉, 외부, 내부 요인에 의해 우리 몸의 균형이 무너지는 그 일차적 순간이 바로 '감기'라 정의할 수 있습니다.

위의 원인들로 인해 나타나는 감기 몸살의 초기 증상은 대부분의 사람들이 쉽게 구분할 수 없을 만큼 모두 비슷하게 나타납니다.

앞서 보았듯, 스트레스에도 열이 나고, 추웠다고 목이 붓고, 기침을 하며, 식상(食傷)으로도 오한 발열, 두통, 기침이 나타날 수 있었습니다.

허나 중요한 것은, 위와 같은 감기의 원인들 속에는 공통적인 하나의 요소가 자리 잡고 있습니다.

평소 그 공통의 요소를 충족시켜주는 방법이 바로 감기를 예방할 수 있는 핵심 키가 된답니다. 그 핵심 키는 과연 무엇인지, 이제 여러분이 더 잘 알고 계실 겁니다.

:: 비염 처방 마무리

폐의 움츠린 것을 선폐시켜주고, 사기(邪氣)를 없애주는 방법과,
약해진 우리 몸의 '기화 작용'을 정상화시켜주는 것이 1차.
2차는 자신의 부족한 부분과 명문화를 보강하는 것.
이 두 가지가 맑은 콧물이 흐르는 비염치료의 핵심이었습니다.

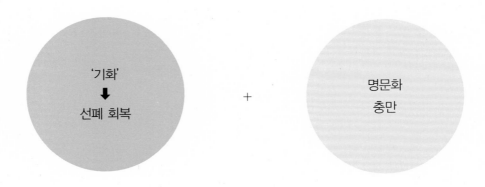

[그림 59] 비염·알러지치료 핵심

그런데 가끔 비염이 오래되어 누런 콧물이 흐르는 아이들이 있습니다.
이러한 누런 콧물도 대부분 시작은 모두 맑은 콧물에서 비롯됩니다.

초기에 해결하지 못하고 그 상태가 오래 방치되어 사기(邪氣)가 열성화되거나, 혹은 간화(肝火), 비위에 습열(濕熱)이 오래된 상황에서, 혹 몸의 균형이 무너져도 콧물이 누렇게 분비됩니다.

이런 상황의 아이들은 열을 내리고 발산시켜주는 처방도 일정 기간 사용해 줘야 합니다. 그리고 음식을 많이 먹고, 몸이 습열(濕熱)한 아이들 역시 진득하고 누런 콧물이 발생합니다. 이런 아이들은 비위에서 발생한 습열(濕熱)한 기운을 없애주는 과정도 필요할 것입니다.
사기의 열성화? 비위에 습열(濕熱)? 이게 어떤 뜻인지 아직 어렵습니다.

결론은 비염, 알레르기는 맑은 콧물이나 재채기가 시작될 때,
적합한 처방으로 그 불균형을 즉시 바로 잡아줘야 뒤가 편하다는 겁니다.
증상이 오래되어 누런 콧물이 꽉 찬 아이들은 그 처방과 치료도 복잡하고, 복용의 기간도 오래 걸리게 되니까요.

Ⅲ_ 갑상샘염증, 항진증

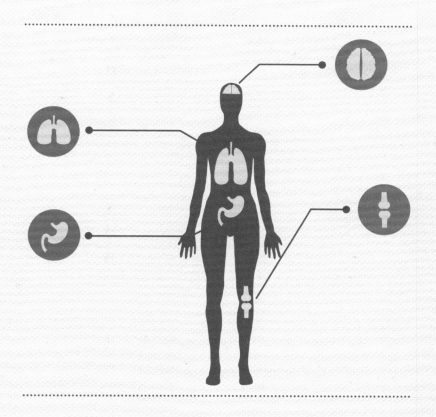

갑상샘의 불균형은 앞에서도 간단히 언급했듯,
어떤 이유에 의해 엔진이 과열된 상태이거나, 반대로
엔진이 거의 꺼져가고 가라앉은 상태, 이 두 가지 경우가 대표적입니다.
전자는 갑상샘항진증이라 불리고, 후자는 갑상샘저하증이라 불립니다.

이러한 항진과 저하의 가장 핵심은 무엇일까요?

> · 갑상샘 질환의 가장 핵심은 바로 신장과 심장의 불균형!
>
> · 우리 몸의 기본 시스템인 수화지교의 실조가 그 기본 원인.
>
> · + 활혈의 실조와 심폐(心肺)의 진액 부족 등.

갑상샘 질환은 이런 수화지교 실조라는 기본적 불균형에 더하여,

간(肝)에서의 활혈이나 소설의 불균형, 혹은

심폐(心肺) 기능의 저하와 진액(津液)의 부족,

비위 기능의 허약 등으로 인한 기혈(氣血)의 허약 등

여러 요소들이 더해지면서 발병하게 되는 병증입니다.

우리 몸의 갑상샘이나, 부신피질, 뇌하수체 등은 호르몬 분비의 핵심기관입니다. 여기서 중요한 것은, 그들의 호르몬 분비는 근본적으로는 신장의 건강 상태에 직접적인 영향을 받는다는 것.

호르몬이 분비되는 과정에서 가장 기본적인 것은, 음양의 조화입니다.

호르몬은 교감신경, 부교감신경 등 피드백 작용이 기본이죠?

호르몬이란 길항작용이 핵심으로, 이러한 피드백은 음양(陰陽)의 개념에 포함되고, 호르몬분비의 불균형은 몸 속, 음양(陰陽)의 불균형이 됩니다.

우리 몸의 대표적인 음양교류 시스템은 바로 수화지교.

갑상샘 호르몬 불균형은 우리 몸 음양(陰陽)의 대표적 불균형 현상.

'신장은 수(水), 심장은 화(火)'

☯ 이 둘의 교류가 피드백과 길항작용의 기본바탕이며, 몸의 균형을 유지하는 핵심적인 시스템입니다.

그런데 갑상샘 환자들은 대부분 이 수화지교라는 몸의 대표적 음양교류가 실조된 상태입니다. 이런 음양(陰陽) 불균형으로 인해 나타난 여러 현상들이 바로 병증(病症)이 되죠?

그 수많은 병(病) 중,

체중이 증가하거나, 감소하는 것, 심장이 빨리 뛰는 심계(心悸)도 있고,

불면(不眠)증, 두통, 피부가 붉어지거나, 창백하게 될 수도 있습니다.

안구가 돌출될 수도 있고, 탈모가 나타날 수도 있습니다.

이 모든 증(症)들은 음양 불균형으로 인한 일종의 결과들입니다.

갑상샘항진, 저하라는 호르몬의 불균형도, 이러한 결과적인 현상들과

크게 다를 것이 없습니다. 그럼 이러한 병이 나타나는 상황을 살펴봅시다.

:: 뒷목, 눈알이 아파요

실제 사례를 들어봅시다. 한 30대 후반 남성입니다.

사업과 이성 문제로 스트레스를 몇 년간 받았습니다.

지속된 스트레스와 더불어 과로와 폭음폭식 등으로, 간과 신장의 허(虛)가 심해졌고, 이로 인해서 결국,

1. 수화지교의 실조로 심화(心火).

2. 허(虛)해서 발생하는 허열(虛熱)까지 발생.

3. 스트레스와 수면 부족으로 간화(肝火)가 위로 상승.

그럼 간과 심장의 화(火)가 위로 뜨고, 허열(虛熱)이 겹쳐진 상태입니다.

한약을 공부하는 우리는 이런 경우를 볼 때, 간(肝), 심(心)의 화(火)에 허열까지 더해진 큰 불이, 우리 머리로 타오르는 상황을 떠올릴 수 있어야 합니다.

☯ 이로 인해 결과적으로 뇌의 압력이 높아지게 됩니다.

뇌압이 높아지니까, 결국 귀나 눈의 압력까지도 높아지게 되었습니다.

이러한 몸 상태의 30대 남성은 뇌압(腦壓)이 높아짐으로 인해, 여러 가지 병증들이 나타날 것입니다. 그것은 마치 대부분의 사람들에게는 원인 미상의 병처럼 두렵게 느껴질 수 있을 겁니다.

예를 들면, 눈알이 빠질 것 같은 안구통이나 눈앞이 흐려지는 증상, 눈 충혈, 녹내장, 안구 돌출, 터질 것 같은 두통, 뇌종양, 혹은 탈모나 이명(耳鳴) 등의 병증도 나타날 수 있을 겁니다.

신허 + 스트레스 → 수화지교 실조, 간화(肝火) 상승.

↓

뇌압 안압 ↑ — 시력 이상 — 녹내장 — 두 통 — 탈 모 — 고혈압 — 이 명

[그림 60]

최근에 우리가 만약 스트레스를 받으면서 수면이 부족했다면, 결과적으로 간(肝)의 활혈이 미흡해지고, 소설은 실조되며, 간(肝)에서 주관하는 콜레스테롤 등 여러 가지 수치들이 변화될 수 있습니다. 또한, 눈과 머리 부분에는 압력이 상승하며, 안압, 혈압이 상승하고, 시력이나 시신경에 이상이 올 수도 있습니다.

그런데 우리 대부분은 최근 수면시간이 부족하고 스트레스로 예민했었던 자신을 되돌아보지는 않은 채, 혈압상승을 걱정하고, 콜레스테롤 수치를 염려합니다.

콜레스테롤 수치가 높아졌다고 걱정하고 병원에 왔다갔다하는 시간에,
마음 편하게 푹 자고, 활혈만 정상화시켜도 그 수치는 얼마 지나지 않아서 회복될 수 있습니다. 그러나 그 중요한 시기를 놓쳐버리면 뒷날 녹내장이 오고, 뇌출혈이 발생하고, 그래서 검사를 하기 싫어도 해야 하고, 병원을 멀리하고 싶어도 멀리할 수 없는 힘든 상황이 발생하게 되는 것.

이 건장한 남성은 눈알이 빠질 것 같고, 두통과 뒷목 당김이 너무 심해 정상적 생활이 안 된다며, 요 몇 달간 병원 3군데에서 정밀검사를 받았다고 했습니다. 과연 검사결과 MRI에 어떤 것이 나왔을까요?

:: 병증(病症)보다 몸이 우선

스트레스 화(火)로 인한 뇌종양에 연령고본단?

이런 경우 대부분의 사람은 아무것도 나오지 않습니다.

혹, 뇌압 때문에 청각이나 시신경에 문제가 생기거나 이석(耳石)이 자리를 이탈하는 경우가 있는데, 이것 역시 결과적인 모습에 지나지 않습니다.

이 남성은 검사결과 아무것도 나오지 않아서 다행이기도 합니다.

심장, 간의 화(火)와 허열(虛熱), 그리고 그로 인한 뇌압상승의 결과가 MRI에는 절대 나타나지 않습니다. 그런데 만약, 이 남성의 두통 원인을 찾다가 뇌에 작은 종양이라도 발견했다면, 어찌 될까요.

그 상황에 따라서 두개골을 가르고 뇌수술을 할 수도 있습니다. 일순간 병자가 됩니다. 물론 상황에 따라 종양을 미리 발견해서 다행일 수도 있습니다. 허나 뇌를 가르고 수술했는데 불행히도 행동이 이상해지거나 판단력이 예전과 다를 수도 있습니다. 혹은 종양이 재발할 수도 있죠.

이럴 때 만약, 화(火)나 수기(水氣)를 내리고 뇌압을 떨어뜨리는 한약처방을 한 달이라도 복용했다면, 어떨까요? 아마 위 증상들이 많이 소멸되었겠죠?

그 후 근본을 꾸준히 보충해보았다면, 그 결과가 어떻게 되었을까도 생각해 보아야 합니다. 아마 두개골을 가르게 되는 인생의 큰 불행을 피할 가능성이 컸을 겁니다.

위와 같이, 화(火)가 뇌로 치솟는 상황과 그로 인해 뇌수(腦髓)가 마르고,
뇌수를 생성하는 신정(腎精)도 허(虛)해서 뇌수가 지속 부족해진 상황을 방치했으므로, 위와 같은 훌륭한 수술기술도 한계가 있는 것입니다.

뇌에 종양이 생겼다는 것은 그만큼 불균형이 오랫동안 진행되어 몸이 위험한 상태에 이르렀다는 증거입니다. 그래서 수술로 종양을 없애더라도 화(火)를 내리고, 신정(腎精)을 보강하는 노력이 이루어지지 않는다면,
종양, 암은 몸의 장소를 바꿔서 또 나타나게 되는 것은 명약관화합니다.
이는 마치 도박하는 사람의 왼손을 자르면 다시 오른손으로 도박하는 것,

한번 생긴 종양 등은 그렇게 쉽게 없어지지 않습니다.
또 상황에 따라 수술을 통해서라도 종양 등을 없애줘야 할 때도 있습니다.
허나 지속적으로 신장을 보강해주고, 치솟는 화(火)를 내려준다면,
그 종양이 위험한 상황까지 쉽게 발전되지 못할 것입니다.
위 남성은 간(肝)과 머리의 화(火)를 식혀주는 한약 처방을 복용하며,
오랜 시간, 그를 괴롭히고 생활을 힘들게 하던 안구통과 두통에서 벗어나 정상적 생활을 하게 되었습니다.

허나 이는 근본적인 것은 아니고, 치솟는 화(火)만 내려준 것,

근본이 해결된 상황은 아니므로, 또다시 과도한 스트레스를 받고 수면이 불량하게 된다면 두통이나 안구통은 재발하게 될 것입니다.

이와 비슷한 한 건장한 남성이 왈(曰),

누가 뇌종양에 연령고본단이 좋다고 하여 구매하러 오셨답니다.

연령고본단, 신장의 명문화를 보강해주는 비싼 약입니다. 신장이 고갈되어 뇌수가 말라서 발생한 뇌종양에는 효과가 있을 수 있겠죠? 특히, 명문화가 쇠약해지는 어르신들께는 아주 좋은 명약이 되겠습니다. 허나 극심한 스트레스로 얼굴이 붉고 두통이 심한 남성에게 이 연령고본단은 해로운 독(毒)이 될 수도 있겠죠?

- 치솟는 화(火)를 제거해주는 것이 진통제 복용보다는 근본적인 치료지만, 더 근본은 간(肝), 신허(腎虛)를 보완해서 수화지교를 정상화하는 것!

- 허나 그것보다 더욱 근본인 것은 바로 업(業)과 연(緣)을 만들고 스트레스를 받게 하는, 우리의 생각과 마음.

:: 왜 발생하는가?

　위 남성은 초기에 간화(肝火)를 내려주는 처방으로, 두통과 안구통을 해소하였습니다. 이런 것이 바로 표(表)의 치료라고 할 수 있습니다. 그리고 이 남성의 고통을 최소화하기 위해서는 표증(表證)의 제거 후 신정(腎精)을 꾸준히 보충해서 허열(虛熱)을 제거하고 수화지교를 원활하게 유지해야 하는 것이 필수가 되겠습니다.

1. 두통, 안구통, 탈모 등은 결과적이고 표면적인 상황.

2. 그런 병들이 나타나게 된 원인은 바로 뇌압과 안압의 상승.

3. 그런데 뇌압과 안압상승의 원인은 바로 화(火)가 머리로 상승한 것.

4. 이런 화(火)의 근원은 바로 간화(肝火) + 심화(心火) + 허열(虛熱).

5. 이것이 발생한 근본 원인은 바로 신정(腎精)의 부족 + 스트레스.

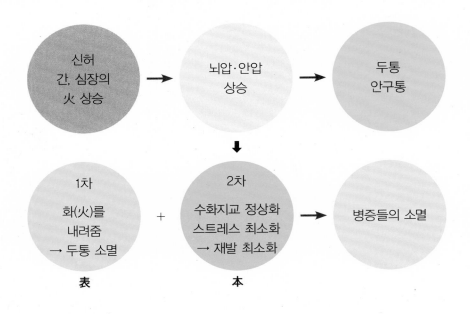

[그림 61]

병이 발생하는 상황과 그 치료의 순서를 이해하여야 합니다.

호르몬변화와 수치, 두통, 녹내장, 고혈압, 갑상샘항진증, 탈모같이 외부에 표출된 병증(症)들도 아주 중요합니다. 허나 그것에만 그것에만 이끌려 다닌다면 근본 원인을 해결하기 아주 힘들어지겠죠?

그래서 우리들이 공부할 때 항상 중요하게 인식해야 하는 것은,
크게 4단계로 이해할 수 있습니다.

:: 공부의 핵심 4단계

몸의 원리에 따라
처방을
접목시키는 눈.

예를 들어, 우리가 갑상샘항진증이라면,

첫째, 호르몬의 변화가 발생한 근본 원인을 이해하는 것이 공부에 가장 핵심 요점이 되겠습니다. – 예) 신허(腎虛) 간과 심장 화(火) 상승.

두 번째는 그 원인으로 인해 몸에 나타나는 여러 가지 현상들을 이해하는 것. – 예) 갑상샘항진, 탈모, 안구돌출, 체중감소, 두근거림, 두통.

세 번째는 그러한 몸의 불균형을 바로 잡기 위해 우리 몸의 어떤 생리 기능을 바로 잡을 것인지 이해하는 것. – 예) 활혈, 수화지교 정상화.

마지막으로는 활혈과 수화지교 등을 정상적으로 도와줄 수 있는 한약 처방을 이해하는 것이 공부의 마무리.

이러한 과정이 유기적으로 연결되어야 합니다.

증상을 보고 병의 원인과 처방을 이해할 수 있고,

병의 원인을 보고 증상과 처방을 이해할 수 있으며,

처방을 보고 병의 원인과 증상을 유추할 수 있게 됩니다.

그 중 가장 핵심은 바로

☯ 몸을 이해하고, 몸의 원리에 따라 처방을 접목시키는 눈.

몸의 원리를 이해하면 모든 처방과 지식이 무기가 될 수 있습니다.

무조건 없애버리려는 단순한 방법으로는 병증을 달래줄 수가 없습니다.

이 녀석이 왜 나타났는지 내가 이해를 해주고, 그 불균형을 해결해준다면,

그 병이란 녀석은 스스로 사라지게 될 것입니다.

비록 부모, 자식 몸까지는 내 마음대로 할 수 없지만,

자기 몸을 스스로 지키는 것은 그렇게 어려운 길이 아닐 것입니다.

그럼 이제 갑상샘염증과 항진증에 적용되는 처방을 소개해보겠습니다.

02.
항진증 처방 목표

한 여성의 갑상샘 호르몬이 과도하게 분비되고 있습니다.

열이 나고, 진액은 말라가고, 체중은 감소하고, 심장은 막 뛰고 있네요. 이는 꼭 자동차가 RPM 오르면서 과열되는 느낌이랄까요? 냉각수 없이 한여름 자동차를 몰고 다니면 어떻게 될까요?

존경하는 한 선생님의 의서에 보면 갑상샘을 연탄보일러 구멍으로 멋지게 비유해 놓으셨습니다.

어릴 적 연탄을 갈던 기억이 납니다.

연탄을 새로 갈아 넣으면 그 밑에 구멍을 최고로 열어 놓았습니다. 그리고 연탄에 불이 어느 정도 붙으면 구멍을 줄여야 하죠? 허나 혹 깜빡 잊어버리면 연탄에는 과도하게 불이 나고 있고, 벽에 붙은 물통의 물은 미친 듯이 끓으며 물량이 확 줄어있었죠. 그럼 급히 위쪽 물통에 물을 붓고, 연탄구멍을 빨리 닫아주었던 기억이 납니다. 만약, 그 상태로 방치하면 연탄은 금방 연소되어 하얀 재가 되겠죠?

갑상샘항진증도 마찬가지입니다.

항진증으로 호르몬이 과도하게 분비되고, 몸에는 열이 나고 심장이 빨리 뛰는 상황은, 자신이 가진 근본 에너지가 빠른 속도로 고갈되고 있는 상황으로써 이는 남들보다 수명이 빠른 속도로 줄어들고 있는 것과 같습니다.

이렇게 급격한 고갈로 몸의 근본이 소멸하면, 우리 몸은 아마 위의 연탄재와는 비교할 수도 없이 큰 손실을 입게 됩니다.

이렇게 갑상샘 호르몬의 항진, 그것이 발생하는 원인은 크게 세 가지 요인으로 이해할 수 있습니다.

첫째, 신허(腎虛)로 인한 수화지교의 실조, 그로 인한 심화(心火)나 수기(水氣) 상승.

둘째, 스트레스 수면부족과 소설, 활혈 실조 등으로 인한 간화(肝火) 상승.

셋째, 혈액 등 진액 부족으로 인한 음허(陰虛), 그로 인한 허열(虛熱) 심화.

갑상샘항진증이란 한의학에서 봤을 때는,

몸의 진액, 혈액, 정(精) 등의 음(陰)이 부족해짐으로 인하여, 상대적으로 양(陽)이 과도하게 치솟는 상황으로, 이는 바로 '음허양성(陰虛陽盛)'의 대표적 예가 되겠습니다.

☯ 이렇게 음허양성(陰虛陽盛)의 불균형을 해결해주는 처방이 바로 항진증 처방조합의 핵심원리가 되겠습니다.

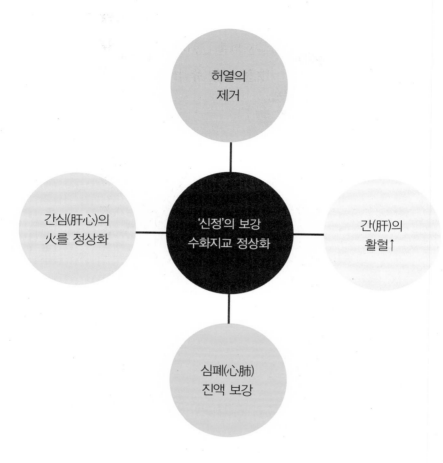

[그림 62] 갑상샘항진증 처방 조합 원리

:: 그레이브스병?

음허(陰虛)로 인해 체중은 점점 감소하고 진액(津液)은 부족해집니다.

과열되어버린 심장의 박동은 마치 연탄보일러 물통이 심하게 끓는 상황과 비슷한 느낌입니다.

만약, 우리 몸이 이러한 상황이라 할지라도 다행히 항진증이란 진단을 받지 않았다면, 그저 아무런 걱정이 없을까요?

갑상샘 호르몬분비의 불균형 자체도 매우 중요하지만, 더욱 중요한 것은 표출된 결과가 아니라, 몸에서 진행되는 상황을 이해하는 것!

그레이브병이란 이름은 중요한 것이 아닙니다.

항진증으로 진단받지 않았더라도 우리는 이런 몸 상태를 이미 항진증과 동일하게 바라볼 수 있는 당신의 눈이 필요합니다.

심화(心火)가 상승, 음허(陰虛)로 혈액과 진액이 고갈되며,

심장으로 흘러들어 가는 혈(血)이 부족하면 심장은 더욱 과열되고,

심화(心火)는 더욱 상승해, 결국 갑상샘에 지속적인 화상을 입히게 됩니다. 그럼 갑상샘 세포조직의 변형이 오게 됩니다.

갑상샘의 세포조직에 염증이 발생하게 되고,

위와 같은 불균형이 오래되면, 물혹이나 종양이 나타날 수도 있으며,

그 염증 등을 정상화하기 위해 우리 면역체계는 과도한 반응을 하고,

그 결과가 바로 '자가면역반응'이란 결과로 나타나게 됩니다.

자가면역질환!

자신의 면역세포가 과하게 활동하게 된다고 붙은 이름.

그래서 대부분의 그 치료는 면역활동을 억제시키는 방법으로 진행됩니다.

허나 이런 논리는 마치, "빈민가(쇠약해진 몸)에 범죄율(질환발생)이 높은 이유가 그 동네의 경찰 단속(면역 과잉)이 너무 활성화되었기 때문에 범죄율이 높다."라고 말하는 것과 아주 비슷하죠?

빈민가에 강도가 많아졌기 때문에 경찰 단속이 심해진 것이고,

강도가 많아진 근본적 이유는 몸의 재산이 고갈된 '신허(腎虛)'의 상태처럼, 가난하고 고갈된 삶의 환경이 핵심 원인이겠죠?

몸에서 공격해야 할 대상이 결과적으로 발생했기 때문에 어쩔 수 없이 과하게 대항할 수밖에 없는 상황입니다. 그런데 그런 결과적 상황을 근본 원인으로 판단해버리면, 과연 제대로 된 치료가 이루어질까요?

:: 자가면역질환

약(藥)이란
무엇인가!

호르몬이 과도하게 분비되는 항진증이란 결과에만 집중하거나,

항진증의 원인이라는 '그레이브스병' 같은 병명에만 집중하는 것,

갑상샘의 혹이 호르몬을 과도하게 분비하는 원인이라 생각하는 것보다,

내 몸속 불균형의 상황을 먼저 이해하는 것이 중요합니다.

저런 불균형이 지속된다면, 뇌(腦)에, 자궁에, 임파선에도, 혹은 유방에도 종양이 나타날 것이라 유추할 수 있어야 합니다.

반대로 이 사람이 가진 불면, 비염, 알레르기, 요통, 가려움 등의 원인이 모두 하나로 귀납 되는 것도 이해하여야 합니다.

불면이라서 정신과에, 비염이라서 이비인후과에, 요통이라 정형외과에,
이런 상황은 누구나 피하고 싶은 악순환일 뿐입니다.

우리 아들이 매일 새벽 오랜 시간 동안 컴퓨터 게임에 빠져 산다면,
뒷날 시력이 떨어지고, 성적이 떨어지고, 호연지기도 사라지고, 나이 들어
결국 스스로 후회할 것은 그 누가 봐도 유추할 수 있는 것.

몸도 우리의 인생과 똑같다고 했습니다.
인생이나 세상을 이해하는 것보다 몸을 이해하는 것이 훨씬 쉽습니다.
그저 의학, 약학이라서 어렵게 생각될 뿐입니다.
"저렇게 살면 저렇게 되겠지."라는 말을
"저렇게 되면 이런 증상이 나타나겠지."라고 바꾸면 그만입니다.

'자가면역질환'을 '천의 얼굴을 가진 병'이라고도 합니다.
자가면역질환? 그 근본을 이해하지 못하면 그것은 정말 천의 얼굴을 가진,
두려운 병이 됩니다. 심지어 우리의 목숨도 빼앗아 갈 수 있습니다.
허나 몸을 이해한다면 여러 자가면역질환들은 몸속 하나의 불균형으로 관
찰될 수 있습니다. 우리는 몸의 불균형을 미리미리 조율해주어 이러한 상황이
발생하지 않도록 노력하는 것이 중요합니다.

'음양(陰陽)의 균형, 이는 우리 몸의 중용(中庸)'

그래서 여러 가지 자가면역질환들, 예를 들면
지금 배울 갑상샘 질환부터, 아토피 피부염이나, 건선, 류마티스 관절염, 루
푸스, 알레르기 비염 등의 여러 병증들은

☯ 신허(腎虛), 수화지교와 활혈 실조, 심화(心火), 허열(虛熱) 등의 여러 불균형이 뿌리가 되어 나타난 수많은 결과들임을 이해하는 것.

그것이 약(藥)을 사용하는 핵심이 되겠습니다.

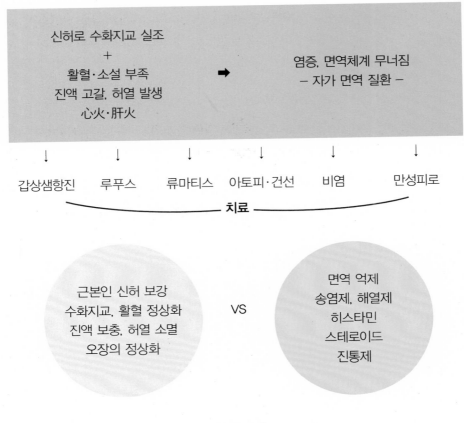

[그림 63]

그 불균형을 방치하면 다양한 결과들로 표출될 수 있으며,

그 여러 모습들은 대부분 난치병, 희귀병이 될 것이고,

시간이 지날수록 어려운 병명들은 더욱 늘어나게 될 것입니다.

☯ 약(藥)이란 이런 몸의 원리를 담고 있어야 약(藥)이라 할 수 있습니다.

자가면역체계를 아무리 억눌러도 몸의 금고가 고갈되어 진액이 부족하고, 근본 기능인 수화지교나 활혈이 제대로 이루어지지 않는 상태에서는 그 치료에 한계가 있겠죠?

한약공부도 바로 지금처럼,
몸을 이해하며, 그러한 몸의 원리와 처방의 원리를 접목시켜 나간다면,
한의학은 절대 어려운 학문이 아닐 것입니다.

:: 항진증 처방

이 세 가지는 한약의 가장 큰 장점이고 핵심입니다.

동병이치   이병동치   변증론치

허나 이러한 한약의 특성은요. 어떻게 보면 아주 큰 단점이기도 합니다.

똑같은 증상이라도 원인에 따라 약이 다르게 적용되기 때문에 한의학은 아무나 따라 할 수 없는 어려운 학문이 될 수밖에 없습니다.

지식의 학문이 아닌, 원리를 알아야 이해할 수 있는 학문이 되는 것.

예를 들어, 컴퓨터 개발자가 멋진 컴퓨터를 만들어내면, 우리는 그 컴퓨터 내부의 여러 가지 복잡한 원리를 몰라도 그 기계를 사용하고, 즐기는 데 별문제가 없습니다.

허나 한약은 그럴 수 없습니다.

이미 수많은 명 처방들은 쌓이고 쌓여 있습니다.

허나 우리가 그것들을 가정에서 스스로 사용하고 삶에 즐겁게 접목시키기 쉽지 않은 것입니다. 지금 공부하듯, 몸의 원리와 한약의 원리를 깨달아야 한약도 컴퓨터 사용하듯, 스스로 즐길 수 있는 것입니다. 이러한 특성으로 인해 한약의 대중화는 쉽지 않습니다. 그래서 우리는 지금처럼 한약처방을 살펴보기 전에 몸의 원리를 이해하기 위한 공부가 중요하다는 것입니다.

이제 우리가 공부하는 한약처방은, 병명에 따른 처방이 아닙니다.

갑상샘항진증에 '시호가용골모려탕', '자감초탕', '청심연자음'이란 처방을 사용하다가, 또 어떨 때는 '인삼양영탕'이란 한약처방을 사용하게 될 수도 있습니다. 갑상샘항진증이란 동일한 병명에 한약 처방은 아주 다양할 수 있겠죠?

이러한 관계로 지금 알아보게 될, 갑상샘질환에 따른 한약처방도 절대적으로 정해질 수는 없고, 각자 몸의 구체적인 상황에 따른 모든 처방들을 설명할 수도 없습니다. 사람에 따라 다양하게 공부할 수는 없지만,

지금부터 공부할 처방조합은 갑상샘항진증 치료를 위한 핵심적인 불균형을 해소하여, 대부분 그 효과를 볼 수 있는 처방원리가 되겠습니다.

이제 알아보게 되는 갑상샘항진증 처방은 가장 발생빈도가 높은

1. 갱년기, 스트레스   2. 출산

이 두 상황을 소개해보도록 하겠습니다.

:: 갱년기로 인한 갑상샘항진증

지속된 간의 불균형으로 신정(腎精)이 고갈되며 수화지교가 실조된 상태.

이는 주로 갱년기 여성, 스트레스가 극심한 여성에게서 많이 보이는 증상입니다. 이러한 여성들 중, 울화(鬱火)가 심한 사람은 종양이나 혹이 잘 발생할 수 있는데요. 가장 많이 나타나는 염증이나 종양의 위치가 바로 갑상샘과 더불어 자궁, 그리고 유방이 되겠습니다.

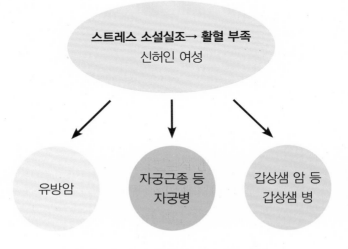

[그림 64] 소설 실조로 인한 여성의 대표 병증

첫 번째, 갱년기 및 스트레스가 지속되며 나타난 갑상샘항진증

스트레스로 인한 항진증 및 염증에

1. 육미지황환　　　　**2. 가미소요산**　　　　**3. 청심연자음**

체격 클 때 10　　　　　　체격 클 때 12　　　　　　체격 클 때 8

19세 이상 성인 8　　　　19세 이상 성인 10　　　　19세 이상 성인 5

위 처방을 하루 3번 3개월 복용 후,

증상이 완화되면 하루 2번씩 3개월만 더 복용해줍니다.

:: 출산으로 인한 갑상선항진증

여성의 출산은 갱년기와 더불어 여성의 신장 에너지를 크게 소모시킵니다. 신정(腎精)이 급격히 고갈되는 시기라서 여러 병증이 나타날 수 있습니다.

출산

잉태
모유 수유
수면 부족
허로

갱년기

근본이
쇠약해지는 시기

기타

과로
스트레스 지속
방사의 과다

신정이 급격히 소모되는 원인

수많은 병증들이 발생함

ex) 갑상샘항진, 알러지 비염, 고혈압, 탈모, 불면 등.

[그림 65]

잉태, 출산을 하며 신장 에너지를 급격히 소모시켰고,

거기에 산모는 아기의 양육으로 숙면을 제대로 못 하고,

모유 수유 등으로 인해 지속적으로 에너지를 빼앗기게 됩니다.

여기에 산후 스트레스가 더해지면서 산모들에게도 '갑상샘항진증'이 자주 나타나게 되는 것입니다.

이때는 어떠한 처방을 복용해야 산모도 좋고, 아기도 좋을까요?

출산 후 나타난 항진증의 처방을 살펴보도록 하겠습니다.

하루 세 번 복용합니다.

출산으로 인한 항진증에

1. 육미지황환	2. 온청음	3. 소건중탕
체격 큰 사람 10	체격 큰 사람 10	체격 큰 사람 10
산모 기준 8	산모 기준 8	산모 기준 8

참고로 출산 후 산모는 항상 부족함에 허덕이게 됩니다.

산후 혈허(血虛)와 수면부족, 그로 인한 허열(虛熱) 등의 발생으로 뇌압이 높아져서 이석(耳石)이 자리를 벗어날 수도 있습니다.

'매니에르' 같은 어려운 병명에 두려워할 것 없습니다.

매니에르도 한의학에서 바라봤을 때, 여러 가지 원인이 있지만, 산모들은 대부분 간(肝), 신(腎)을 조율해주면 어지러움은 얼마 지나지 않아 정상화됩니다.

이와 같이 산모들은 근본인 간(肝)과 신(腎)의 에너지가 부족하므로, 허전함과 배고픔, 그로 인한 폭식이 더 늘어날 수 있습니다. 체중이 늘어나고, 기초대사량이 낮아지는 주요 원인 중 하나가 바로,

☯ 근본 에너지인 신장의 허약함입니다.

그래서 나이가 들수록 명문화가 쇠약해지면서 기초대사량도 떨어지니까,

나잇살만 늘어나고, 적게 먹는데도 체중감량은 미흡해지는 것입니다.

몸이 허(虛)해서 배도 고프고, 허전한데, 그저 굶는 다이어트를 지속한다면 어찌 될까요?

03.
갑상샘저하증의 원인

갑상샘항진증이 지속되면 몸의 에너지를 심하게 고갈시킵니다. 불타던 아궁이의 장작이 다 타오르고 남아버린 미약한 불꽃이나 연탄이 다 타버리고, 하얀색만 남은 연탄재를 떠올려봅시다.

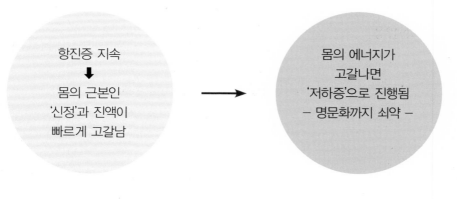

[그림 66]

물론 몸의 근본인 신장의 명문화가 태어났을 때부터 부족한 사람은 어릴 때 갑상샘항진증 과정 없이 바로 저하증이 올 수도 있고, 혹은 항진 저하가 서로 교차되며 나타날 수도 있습니다.

저하증이란?

1. 항진증이 지속되거나 스트레스나 과로로 몸의 에너지가 고갈되어 발생.
2. 타고난 신장의 명문화가 쇠약하여, 바로 저하증이 발생함.

대략 이 두 경우가 됩니다.

항진증 등 에너지 고갈이 지속되어 저하증이 된 경우	+	타고난 명문화가 근본적으로 쇠약한 경우

[그림 67] 갑상샘저하증의 대표적 발생 원인

결국 병(病)과 약의 사용원리는, 물과 불을 얼마나 잘 조절하느냐가 핵심이고 특히 신허(腎虛)로 인한 수기(水氣)와 화(火)의 흐름을 잘 이해하여야 합니다. 아직 우리가 공부하지 않은 내용이지만, 중요개념이므로 우선 들어놓읍시다. 뒷날 다시 공부할 기회가 있을 겁니다.

병이란 간단한 것에서 발생합니다.

병의 이름만 거창하고, 정작 그 병이 발생한 몸의 근본 원인을 모른다면, 그것은 근본 치료법이 없다는 말과 같습니다.

아이가 고열이 나고, 각종 항생제와 해열제로도 열이 떨어지지 않는 병, 온몸에 염증반응이 나타나는 증상으로 '가와사키병'이라는 것이 있죠.

가와사키병이란 무엇일까요?

갑상샘항진, 저하증과는 완전히 다른 병일까요?

:: 가와사키병?

상열하한(上熱下寒)
이해하기.

주변에 보면 가와사키병처럼 원인 미상인 병들이 참으로 많습니다.

저런 증상이 나타난 몸의 원인도 모르고 어떻게 치료를 해야 할까요?

우리가 앞으로 공부가 쌓이고 쌓이면 뒷날 이 가와사키병이라는 것과 갑상샘항진증, 편도선염, 중이염 등이 서로 모양은 달라도 그 뿌리는 크게 다르지 않음을 이해하시게 될 것입니다.

정혈(精血), 진액이 부족하게 되면, 허열(虛熱)이 발생하게 됩니다.

이는 물이 많은 바다는 여름에 시원하고, 겨울에 얼지 않으나,

연못은 여름에 뜨겁고 겨울에는 꽁꽁 얼어버리는 것과 비슷합니다.

이런 상황에서는 진액과 혈액뿐 아니라, 근본인 신장의 정(精)까지 매우 부족해진 상태이므로, 이를 급히 보충해주지 않으면, 음허(陰虛)와 허열 등으로 몸의 어느 곳에서든 염증이 나타날 수 있으며, 가와사키병 같은 자가면역질환들의 발생확률이 커지게 됩니다.

또한, 이런 고갈된 몸 상태에서는, 평범한 찬바람이나 세균, 바이러스도 큰 적이 될 수 있습니다. 이런 몸은 위기(衛氣) 같은 1차적 방어망이 쉽게 뚫려버리고, 그 사기가 몸 안쪽까지 쉽게 침입하기 때문에 남들보다 자주 아프고, 전염병이나 고열의 발생도 빈번하게 되는 것입니다.

이런 급성병의 치료는 다른 어떤 것보다 중요합니다.

만성병과 다르게 그 원인파악도 쉽지 않고, 그 변화가 매우 빠르며, 치료의 시기를 놓치면 생명을 위협할 수도 있으니까요.

그래서 독감, 사스, 급성 맹장염 등 여러 급성병들은 의약자들이 한마음으로 노력하여 최고의 치료법을 구축할 필요가 있습니다. 한약이든, 양약이든 어떤 수단을 총동원해서라도 최선의 치료법을 구축해야 합니다.

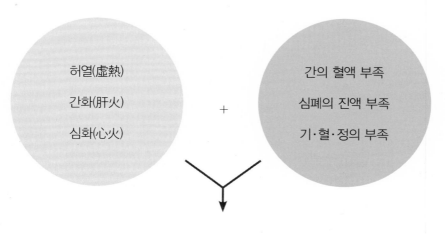

허열(虛熱)
간화(肝火)
심화(心火)

+

간의 혈액 부족
심폐의 진액 부족
기·혈·정의 부족

세포 변형 및, 면역력, 방어력 ↓ ➡ 각종 질병에 감염

[그림 68]

어기 우리 몸에 나쁜 열(熱)이란,

몸이 허해서 발생하는 허열(虛熱),

수화지교 실조되어서 발생하는 심화(心火),

수면불량, 신정(腎精) 부족, 스트레스로 간화(肝火),

대표적으로 이 3가지가 됩니다. 한 가지만 해도 힘든데, 3가지가 동시에 타오르고 있습니다. 거기에 맑은 혈액과 진액은 부족한 상태입니다.

우리 몸의 세포들이 정상적으로 살아갈 수가 없는 상황이죠?

이러한 열(熱)은 비정상적이고 해로운 열(熱)로, 오히려

몸의 근본인 명문화를 더욱더 냉(冷)하고 허약하게 만들어버립니다.

수화지교처럼 심장의 열이 아래쪽 신장으로 내려가서 우리 몸의 양기(陽氣)

를 보강해줘야 하는데, 반대로 위로만 열이 떠오르니, 이런 사람은 주로

'상열하한(上熱下寒)'의 형태가 나타나게 됩니다.

'심신불교'나 '상열하한'의 상태가 오래되면 근본 양기는 쇠약해져, 사지나 복부 등은 냉(冷)해지고, 머리 쪽에만 화(火)나 수기(水氣)가 가득한 상열하한증이 더욱 심해지게 됩니다.

결국, 이는 두통이나 고혈압, 불면, 탈모, 녹내장, 뇌출혈, 갑상샘항진증과 저하증 등 '여러 증(症)들이 나타날 수 있는 근본 증(證)이 되는 것입니다.

이러한 상열하한이라는 단어 하나에 이 모든 병명이 포함되는 것이고,

그래서 음양(陰陽)과 태극(太極)에 모든 것이 함축되어있는 것입니다.

:: 균형과 불균형

가래로 막을 것을
호미로 미리 막기.

☯ 하나의 원인에서 수많은 결과들이 나타났습니다.
하나의 원인이란 몸의 불균형을 의미하고, 그 불균형의 의미란,
음양(陰陽)의 균형과 불균형을 의미하는 것입니다.

이러한 음양(陰陽)의 불균형은 육체일 수도 있고, 마음일 수도 있습니다.
그래서 몸과 마음의 중용(中庸)이 건강한 삶의 핵심이 됩니다.
크게는 중풍 같은 큰 병부터 작게는 비염, 감기나 아이들 수족구까지,

"뭐? 감기나 수족구는 바이러스가 원인 아닌가? 인플루엔자 바이러스, 엔
테로바이러스 71, 이렇게 구체적으로 접근하지 않고, 뭐 허열(虛熱)이니, 신허
(腎虛)니. 추상적인 말을 해."
우리 같은 사람들보다 이렇게 생각하는 사람이 아직은 많겠죠?
세균, 바이러스도 병의 중요한 원인이 되지만, 오직 그것에만 집중한다면,
병(病)이 발생한 근본적 불균형을 해결하기가 어렵습니다.

세균, 바이러스도 병의 중요 원인임은 누구나 알고 있습니다. 허나

☯ 오장의 기능이 조화롭고 충만하다면, 내 몸속, 내 주변 수많은 세균과 바이러스도 그냥 존재하는 대상일 뿐입니다.

몸의 국력인 위기(衛氣)나 '명문화' 등의 근본 방어력이 약하다면,
오늘은 가와사키병으로 고생했지만, 다음에는 A형 독감이,
아니면 편도가 붓고, 폐렴, 기관지염, 중이염도 발생할 수 있습니다.
몸속의 불균형은 해결되지 않았으므로, 병(=症)이란 것은 그 장소, 모습만 바꾸며 나타날 뿐입니다.

특히, 성인보다, 아이들에게는 이런 상황이 더욱 잘 나타납니다.
옛 의서에 남자 환자 10명보다 여자 환자 1명이 어렵고,
여자 환자 10명보다 아이 환자 1명이 어렵다는 말이 있습니다.
왜냐하면, 아이들은 유리 몸처럼 잘 무너지기 쉽고, 병의 진행도 아주 빠르게 변화되며, 어디가 아프다는 의사표현도 제대로 못 하기 때문입니다.

이러한 이유로, 아이에게 평소 선천·후천을 보강해주는 작은 노력은 삶의 행복이 됩니다. 이 노력은 병원에 왔다 갔다 하고, 어린이집에 약을 담아서 보내는 노력보다 훨씬 작은 노력에 속합니다.

용수철이 조금 늘어난 것은 바로 본래 모습으로 돌릴 수 있지만,
그 탄성한계를 넘어 늘어나 버리면 예전 모습으로 돌리게 힘든 것처럼,
불균형이 심화되어 병이란 증상이 밖으로 이미 표출되었을 때는,
많은 희생과 고통을 감수해야 합니다.

· 우리 몸의 균형을 무너지지 않게 유지하는 것이 가장 훌륭한 것.

· 균형이 조금이라도 무너지면 재빨리 균형을 찾는 노력은 현명한 것.

· 용수철이 다 늘어졌을 때, 그것을 돌리려는 노력은 어리석은 것.

:: 이병동치(異病同治), 동병이치(同病異治)

갑상샘의 조직에 허열(虛熱)과 심화(心火) 등이 지속 공격을 하고, 혈허(血虛)와 진액 부족 등으로, 정상적인 신진대사는 미흡하게 되므로, 결국 조직의 세포 변형이나 염증이 발생할 수밖에 없습니다. 이 염증은 정상세포가 아니므로, 자기의 면역체계에 의한 공격을 받게 될 것입니다.

이렇게 면역체계에 공격을 받는 갑상샘은 위기감을 느끼고 더욱 자기의 임무에 충실하게 되며, 호르몬을 더욱 강하게 분비시키게 되는 것입니다. 여기에 부족한 진액과 정혈은 더욱 고갈되고, 심화(心火)를 조절시킬 신수(腎水)도 부족해지므로, 몸은 과열된 엔진처럼 더욱 항진되어 갈 수밖에 없는 것입니다. 자가면역질환은 이러한 몸의 불균형이 해결되기 전까지는 쉽게 사라지지 않게 됩니다. 악순환의 연속이죠?

가와사키병이란 것도 이와 다를 것이 하나도 없습니다.
핵심은 아이의 신정(腎精)이 오랜 시간 고갈되어 나타난 결과일 뿐입니다.

잠잘 때 땀이 나는 '도한증'이라고 배웠었죠?

음허(陰虛)로 인해 허열(虛熱)이 발생하고, 그 열(熱)로 인하여 밤에 잘 때, 땀이 과도하게 나는 도한증. 과연 가와사키병과 아주 다른 병일까요?

우리는 '도한증'이란 흔한 증상과 '가와사키병'을 동일하게 바라볼 수 있는 눈이 필요합니다. 이런 원리 때문에 '이병동치, 동병이치'라는 개념이 나오는 것.

한약 처방은 원인에 따라 아주 다양합니다.

뒷날 몸의 불균형 원인에 따라 여러 한약 처방을 응용할 수 있는 실력을 갖춘다면, 우리가 병원에 입원하고 고생할 일이 많이 줄어들 것입니다.

물론 평소 근본 에너지를 충분히 보강시켜주어, 저런 불균형을 최소화하는 것이 더욱 쉽고 현명한 방법일 것입니다.

:: 갑상샘저하증이란

갑상샘저하증 처방을 살펴보기 전,
이러한 저하증이 잘 발생하는 대표적 유형을 살펴보겠습니다.

첫 번째 유형은 바로 과부나 독신 여성입니다.
독신여성 등 음양의 교류가 실조된 여성은 울화와 수화지교 실조로 인해 신허(腎虛)가 빨리 진행된답니다. 이렇게 항진증이 시작되고 근본이 지속 고갈되면서 결국에는 저하증이 발생하는 경우가 되겠습니다.

두 번째는 타고난 신장기운이 약해 심신불교가 심한 사람입니다.
이런 사람은 유전적으로 신장, 자궁, 갑상샘 관련 질환, 호르몬 분비 이상, 허리 디스크나 당뇨 등의 병들이 발생하기 쉽습니다.
이런 경우는 항진증 없이 처음부터 저하증이 발생하는 경우가 많습니다.

여기서 중요한 것은, 저하증 환자에게 핵심적인 몸의 불균형은 바로 그들의 신정(腎精)은 이미 고갈되고, 명문화까지 쇠약해져 있는 상태라는 것.

그래서 저하증 환자에게 처방하는 근본원리는,

☯ 명문화와 기혈(氣血)을 강력하게 보강하는 것이 가장 기본, 핵심입니다.

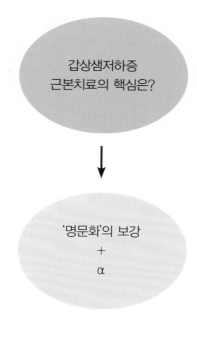

[그림 69]

저하증은 사실 한약을 한두 달 복용한다고 해서 근본문제를 해결하고 건강하게 살아갈 수 있는 상황은 아닙니다. 단정적으로 말한다면,

"평생 호르몬제를 복용하며 살아갈 것인가!"

"평생 한약처방을 복용하며 살아갈 것인가!"

이 둘 중 하나를 선택하는 중요한 개념인 것입니다. 왜냐하면 저하증, 고혈압 등의 병은 앞의 항진증처럼 단시간에 극복되는 개념이 아니기 때문입니다.

과연 이 책을 보고 저하증 한약을 평생 먹을 사람이 있을까요?

갑상샘저하증을 위한 한약처방은 그 효과가 아주 좋고 유용합니다만,

여기에서의 처방 소개는 사실 무의미하고 위험한 면이 있으므로, 이번 시간은 '갑상샘저하증' 치료의 개념만 살펴보고, 그 구체적 처방은 뒷날 기회가 될 때 공부해보도록 합시다.

:: 저하증 처방구성원리

첫 번째,

☯ 갑상샘항진증은 음허(陰虛)로, 구체적으로 진액과 신정(腎精) 부족.

☯ 갑상샘저하증은 양허(陽虛)로, 근본 양기인 명문화의 부족.

이 개념이 가장 핵심입니다.

두 번째,

신정(腎精)과 명문화 쇠약이 오래된 몸 상태로

명문화의 보강만으로는 그 회복이 오래 걸릴 수 있습니다. 그래서 그 치료의 효과를 높이기 위한 추가적 노력이 필요합니다. 그 방법은 바로,

☯ 후천지기인 비위에서 영양생성을 극대화시켜주는 것도 필요합니다.

그래야 명문화 보강과 더불어 동시에 기혈(氣血)보강 및 에너지의 생성과 보충도 높아져서 그 회복속도가 좀 더 빠르고 완전할 수 있는 겁니다.

세 번째,

저하증 환자는 이미 에너지 고갈이 심한 상태라서 평소 일을 해야 하는 기혈(氣血) 자체도 부족한 상황입니다. 그러한 이유로 인해 활동 에너지를 보강해줄 수 있는 처방이 함께 들어간다면 저하증의 회복에 도움을 줄 수 있는데, 대표적인 처방이 그 유명한 십전대보탕입니다.

[그림 70] 갑상샘저하증 해결의 핵심

:: 처방응용 시 주의점

　지금까지 몸의 기본원리를 공부하고 질병에 관한 처방도 간단하게 살펴보았습니다. 위의 처방들은 대부분 무난하게 효과를 볼 수 있도록 구상하였으나, 그래도 약이란 예민한 대상입니다.

　저번에 복용했던 효과 좋은 명약이,
　몸에 비해 용량이 조금 많아지면 부작용이 날 수도 있고,
　몸에 비해 용량이 적어버리면 효과가 없을 수도 있으며,
　평소 효과 좋던 약이 스트레스받은 날이면 두통과 속 쓰림을 유발하고,
　고갈된 상태에서 한약을 복용하면 잠이 오며 몸이 늘어질 수도 있고,
　사기(邪氣)가 잠복되어 있던 사람은 약을 먹고 열이 날 수도 있습니다.

　약(藥)이란 것은 아주 다이나믹합니다.
　그래도 이런 만성병이야 약을 쓰기가 용이한 편이지만,
　감기, 사스, 인플루엔자 같은 급성병들은 만성병보다 훨씬 어렵답니다.

지금까지 소개해드린 처방들은 어디서든 쉽게 구할 수 있습니다.

수많은 한약 처방들 중에서 현재 생산되는 품목은 극히 일부이기에, 위의 처방은 현재 구할 수 있는 제품들을 기준으로 하여, 최대한 무난하게 효과가 나도록 공부해보았습니다.

한약의 묘미를 이해하는 사람이 늘어나고,

수많은 명처방들이 다시 생산되고, 그래서 한약이란 아름다운 보석이

여러분의 건강과 행복에 작은 도움이 되었으면 하는 바람을 담아서,

이 『흰띠 한약사』 기초 편을 서서히 마무리합니다.

아플 사람을 안 아프게 할 수는 없습니다.

매일 과로하고 명문화는 약해졌는데 콧물은 어찌 나지 않겠습니까?

허나 이제 우리는 공부를 통해 히스타민과 명문화 보강 중 하나를 선택할 수 있게 되었습니다.

우리는 진시황의 불로장생초나, 만병통치약을 꿈꾸는 것이 아닙니다.

우리는 현실적인 행복과 건강을 위한 한약 공부를 한 것입니다.

:: 공부를 마무리하며

오장각각의 특성
이해하기.

지금까지 공부한 내용을 기억해봅시다.

어떤 것이 제일 기억에 남으시나요? 소설? 아니면 근본인 명문화?

공부를 하니 신장이 아주 중요하다는 것을 느낍니다.

물론 신정과 명문화를 주관하는 그의 중요성은 두말할 필요도 없겠죠? 허나

가만히 돌이켜보면, 오장(五臟)은 모두 각자만의 중요한 역할들이 있었습니다.

활혈과 소설의 주인공인 간(肝)도 아주 중요하죠?

영양을 생성하는 비위(脾胃) 역시 중요합니다.

폐(肺)도 얼마나 중요합니까. 폐가 없으면 신장도 무용지물이죠?

그리고 수화지교의 주인공인 심장과 신장은 더 언급할 것도 없습니다.

오장(五臟) 모두 중요하지 않은 것은 단 하나도 없습니다.

지금까지 공부한 내용이 아주 복잡하고 많이 공부한 것 같습니다만,

이와 같이 5줄로 정리할 수 있습니다.

간(肝) – 소설(疏泄)과 활혈(活血)

심(心) – 근본 양기(陽氣), 근원, 마음

비(脾) – 비별청탁(泌別淸濁), 승청강탁(升淸降濁)

폐(肺) – 선발숙강(宣發肅降), 금생수(金生水)

신(腎) – 신정(腎精)과 명문화(命門火)

이 중요한 다섯 가지 개념의 공부가 기초 편에서의 핵심입니다.
공부가 끝나고 살펴보니, 위 다섯 줄이 생소하지는 않습니다.

위 개념이 적용되는 원리도 몇 가지 병증을 통해 간단히 살펴보았습니다.
스트레스를 통해서 활혈과 소설, 승청강탁 등이 적용되는 것을 살펴보았고,
비염을 통해서 선폐와 명문화가 병증에 적용되는 것을 이해하였으며,
갑상샘을 통해서 신정(腎精)의 개념이 우리 몸에 적용되는 상황도
살펴보았습니다. 아마 두세 번 더 읽으시면 더 쉬워지실 겁니다.

이해하고 나면 쉽습니다. 아는 것이 어렵고 시작이 어려운 것입니다.
이제 한약 공부의 탄탄한 기초를 세웠습니다. 축하드립니다!

3장

한방의 대중화

한약 대중화

『통속한의학 원론』이란 책은,

한약을 공부하는 사람이라면 한 번씩은 다 읽어봤을 유명한 책입니다.
그 책의 내용 중 일부를 인용해봅니다.

"한방 요법은 지극히 간단해서 돈 벌 욕심이 있는 사람에게는 적합한 치료방법
이 될 리가 없다. 그래서 물욕과 권위욕에 사로잡힌 사람들은 간단한 것을 감추
고 일부러 어려운 것처럼 가장하는 일이 많았는데, 바로 이 때문에 재래의 한의학
에 미신과 전설과 비법 등 불순물이 많이 섞이게 된 것이다.

한의학의 당치 않은 비밀주의는 모두 이런 사람들 때문에 생긴 좋지 않은 습성
이다. 의술 그 자체를 신비화하기 위해서…생략….

이 한의학의 미신과 전설의 옷을 벗기고 그 원리를 대중에게 알려서 대중을 구
제하는 진정한 의술이 되게 할 시기가 왔다.

이 점을 이해하지 못하고 쓸데없이 한의학이 서양 의학과 같이 물질적 영화를 가져다주지 못하고 세도를 피우지 못하게 한다 하여 한탄할 필요가 없다. 한의학의 장점은 대중을 위하여 숨어서 덕을 베푸는 데 있다.”

한약학은 비방(秘方)을 전수하는 어려운 학문이 아닌, 모든 사람의 보물!
그래서 우리 같은 『흰띠 한약사』들이 지향하는 사회란,
병원의 처방약에서 ‘몸의 원리에 의한 한약 처방전’이 발행되는 것.
편도가 부은 아이에게 은교산, 길경석고탕 같은 처방들이 발행되고,
고혈압에 수화지교와 간화(肝火)와 관련된 처방이 나오는 그런 의약체계가 자리 잡는 것입니다.

한 예를 들어보겠습니다.
한약 처방을 토대로 만든 천연물 신약인 ‘신바로’라는 약이 있습니다.
이 약은 퇴행성관절염 치료약으로 개발된 후, 병원에서 자주 처방됩니다.
그런데 일선 약국에 신바로 부작용으로 두통, 구토감 등을 호소하는 항의가 아주 많이 들어오고 있습니다. 왜 그럴까요?

신바로의 구성을 보면 명문화를 높여주는 구척, 두충 등으로 이루어져 있습니다. 허나 누가 봐도 간과 심장에 화(火)가 오르고, 체질상 습열(濕熱)이 넘치는 사람에게 이러한 구척, 두충을 처방하면 어떻게 되겠습니까?
쉽게 말하면 몸이 한여름같이 습열(濕熱)하거나 사막같이 열(熱)한 사람에게 뜨거운 약초인 부자나, 녹용 등을 장복시키는 것과 다를 것 없는 어리석은 상황입니다. 이는 가장 기본인 음양(陰陽)도 모르고 약을 사용한 결과인 것입니다.

최근 x-ray 등 기계사용을 두고 의사와 한의사간에 마찰이 있었습니다.

의사협회는 음양오행(陰陽五行)을 근본으로 하는 한의사가 'x-ray' 등의 기계를 사용하는 것은 적합하지 않다고 주장하였습니다.

위의 주장대로라면, 음양(陰陽)을 공부하지 않은 의사는 앞으로 천연물 신약을 처방해서는 안 된다는 극단적 논리가 나오겠죠? 신바로의 예처럼 자연의 약을 사용하는 것은 사람의 음양(陰陽)구분이 필수니까요.

이러한 직업적 영역에 대한 논쟁도 중요하지만, 더욱 중요한 것은 바로 '건강하고 행복한 삶을 위한 직업정신'이 될 것입니다. 그래서,

☯ 명문화, 소설 등 몸의 원리가 적용된 처방전을 받는 것이 중요합니다.

그 처방을 의사가 내든, 한의사 내든 한약사인 저와는 무관한 일입니다.

그저 사람들이 '활혈'이나 '수화지교' 같은 단어를 '위염'이나 '비염'이라는

단어보다 친숙하게 사용하는 사회, 혹은

중, 고등학교 생물 시간에 엽록체가 아닌 우리 몸의 오장육부와 삶에 도움이 되는 여러 처방을 배우는 그런 교육체계를 그려보는 것입니다.

여러분은 이런 사회 어떻습니까?

:: 한약이 분업 된다면?

한약과 양약의
가격이 같아진다면?

한약은 쉽게 분업이 되지 않을 것입니다.

한약이 분업 되면 의료보험료가 더 올라가서 그럴까요?

아닙니다. 일시적으로는 증가할 수 있으나 오히려 장기적으로는 의료보험료
가 내려갈 것입니다.

한약이 대중화되면 4대 중증질환? 평생 먹는 고혈압약이나 호르몬제,

수시로 처방되는 항생, 소염제 등의 오남용이 획기적으로 줄어들게 되는 것
은 명약관화합니다. 허나 지금과 같은 '밑 빠진 독의 물 붓는' 치료체계라면
우리의 의료 보험료는 지금처럼 계속적으로 올라갈 것입니다.

사실 한의사가 한약분업에 적극적이지 않는 것은 위험한 도박과 같습니다.
왜 위험한 도박일까요?

예를 들어, 몇십만 원 하는 아토피, 비염, 고혈압 한약 가격과 양약 가격이,
한 달 5만 원으로 동일하게 조제 받아 복용할 수 있다 생각해봅시다.

둘의 약 가격이 동일하다는 가정하에, 당장 여러분이 고혈압이라면 어떻게 하시겠습니까? 아마 많은 분들이 한약을 선택할 것입니다.

그런데 한약으로 고혈압을 치료하다 보니, 양약처럼 얼굴에 열이 뜨거나

소변을 못 참고 무기력해지는 증상은 사라지고, 시간이 지나면서 피로감과 요통도 줄어들고, 약해지던 소변도 잘 나오기 시작하고, 정력도 회복되는 등, 몸의 불편하던 부분들이 좋아지기 시작할 것입니다. 그럼 병원을 이용하던 환자의 많은 비율이 한의원 진료로 바뀌게 되고, 시간이 지날수록 그 비율은 점점 더 커지게 될 수도 있습니다.

지금은 의사분들이 한약에 큰 관심이 없는 상황입니다. 허나 지금과는 달리 양의학계에서 한약의 효과에 대해 관심을 가지게 되고, 한약을 이용한 신약이 지속 개발되면 어떻게 될까요?

지금처럼 천연물신약의 처방권이 양의사에게만 주어진 상황은 그저 빙산의 일부가 될 것입니다. 지금이라도 한의학의 우수함을 지켜나가고 싶다면 과연 어떻게 해야 하는지 답은 뻔합니다.

☯ 현대의 여러 기술들과 한·양방이 조화를 이루게 된다면, 지금의 의약학은 한층 더 발전될 것입니다.

기초 편을 마치며

처방이란 우리 몸
불균형의 조화.

기초 편 공부를 마치신 여러분 애쓰셨습니다.
우리가 기초 편에서 공부한 핵심은 무엇입니까?
여기서는 입문 편에서 배운 기초적 내용을 바탕으로 하여
오장육부의 기본적이고 핵심적인 임무를 이해한 것이 되겠습니다.

입문 편에서는 수화지교 같은 단어들을 한번 들어본 것이죠?
본격적인 공부를 위한 가장 기본적인 준비단계였습니다.
기초 편에서는 이 수화지교라는 개념이 우리 몸속에서 어떠한 상황을 연출
하는지 좀 더 깊게 공부해본 것입니다. 지금처럼 몸의 근본원리를 어느 정도
이해한 것 자체가 너무나도 훌륭한 일입니다.
몸의 원리를 이해하였으니, 이제 약초와 처방도 공부해야 할 것입니다.
'A란 병에는 B라는 처방' 이러한 처방공부를 꼭 경계하시기 바랍니다.

☯ 처방이란, 바로 우리 몸속 '불균형의 조화'가 되는 것입니다.

입문 편에서 배운 것	→	· 폐(肺) · 코는 폐의 구멍 · 콧물은 폐의 눈물 · 한사(寒邪)는 폐를 공격!
기초 편에서 배운 것	→	· 선폐의 의미와 중요성 · 기화의 의미와 중요성 · 콧물, 비염의 생기는 원인 · 명문화의 중요성과 역할
처방 공부	→	· 선폐 실조에 '소청룡탕' · 기화 실조에 '오령산' · 명문화에 '팔미'

[그림 72] 입문 편부터 몸의 원리가 처방에 적용되는 과정

약(藥)을 병명이 아닌 몸의 불균형에 적용시킬 수 있는 것이 진정한 핵심!

비염에 소청룡탕이란 동일한 처방 한 두 가지만 사용한다면 누구인들 못 쓰겠습니까? 허나 몸의 불균형에 따라 한약처방은 다양하게 사용됩니다.

그래서 한약공부는 어렵게 느껴질 수도 있습니다.

허나 이 말을 반대로 해봅시다.

몸이 돌아가는 상황과 그 불균형을 제대로 이해하고 있다면, 어떨까요?

남들은 머리가 아파서 CT, MRI를 찍고, 수없는 검사에 두통에 지쳐갈 때, 당신은 간단한 한약처방을 응용하며, 저런 불안함과 고통을 느끼지 않아도 됩니다. 즉, 남들과 달리 인생의 행복지수를 높여갈 수 있습니다.

지금껏 몸의 불균형, 마음의 불균형을 수없이 언급했습니다.

허나 정작 이 책부터가 불균형의 졸저(拙著) 같아, 끝내고 보니 부끄러움만 가득합니다. 스스로가 부족하고 모자란 결과이므로, 이렇게 글을 쓰는 것도 자제해가며, 앞으로 자기반성과 성찰을 해나가겠습니다.

쉽지 않은 내용을, 쉽다 쉽다 하면서 여기까지 왔습니다.

『흰띠 한약사』다음 권이 출간될지, 또 언제가 될지는 기약할 수 없습니다.

그래서 여러분은 굳이 『흰띠 한약사』만 기다리지 마시고, 다른 한의학 서적들을 참고하셔서 지속 공부해나가시기 바랍니다.

열심히 하셔서 꼭 한약을 자신의 동반자로 만드시기 바랍니다.

흰띠 한약사 이 혁 올림

흰띠 한약사_ 기초 편

펴 낸 날 2015년 05월 15일

지 은 이   이 혁
펴 낸 이   최지숙
편집주간   이기성
편집팀장   이윤숙
기획편집   윤은지, 김송진, 주민경, 박경진
표지디자인 이윤숙
책임마케팅 임경수
펴 낸 곳   도서출판 생각나눔
출판등록   제 2008-000008호
주   소   서울시 마포구 동교로 18길 41, 한경빌딩 2층
전   화   02-325-5100
팩   스   02-325-5101
홈페이지   www.생각나눔.kr
이 메 일   webmaster@think-book.com

• 책값은 표지 뒷면에 표기되어 있습니다.
  ISBN 978-89-6489-389-0 14510
  세 트 978-89-6489-270-1 14510

• 이 도서의 국립중앙도서관 출판 시 도서목록(CIP)은 서지정보유통지원시스템 홈페이지
  (http://seoji.nl.go.kr)와 국가자료공동목록시스템(http://www.nl.go.kr/kolisnet)에서
  이용하실 수 있습니다(CIP제어번호: CIP2015013156).

나와 가족의 건강을 스스로 지키는 휜띠 한약사